Agir

Infographie : Luisa da Silva

DISTRIBUTEURS EXCLUSIFS :

• Pour le Canada et les États-Unis :
MESSAGERIES ADP*
2315, rue de la Province
Longueuil, Québec J4G 1G4
Tél. : (450) 640-1237
Télécopieur : (450) 674-6237
* une division du Groupe Sogides inc.,
  filiale du Groupe Livre Quebecor Média inc.

• Pour la France et les autres pays :
INTERFORUM editis
Immeuble Paryseine, 3, Allée de la Seine
94854 Ivry CEDEX
Tél. : 33 (0) 4 49 59 11 56/91
Télécopieur : 33 (0) 1 49 59 11 33
Service commandes France Métropolitaine
Tél. : 33 (0) 2 38 32 71 00
Télécopieur : 33 (0) 2 38 32 71 28
Internet : www.interforum.fr
Service commandes Export – DOM-TOM
Télécopieur : 33 (0) 2 38 32 78 86
Internet : www.interforum.fr
Courriel : cdes-export@interforum.fr

• Pour la Suisse :
INTERFORUM editis SUISSE
Case postale 69 – CH 1701 Fribourg – Suisse
Tél. : 41 (0) 26 460 80 60
Télécopieur : 41 (0) 26 460 80 68
Internet : www.interforumsuisse.ch
Courriel : office@interforumsuisse.ch
Distributeur : OLF S.A.
ZI. 3, Corminboeuf
Case postale 1061 – CH 1701 Fribourg – Suisse
Commandes : Tél. : 41 (0) 26 467 53 33
Télécopieur : 41 (0) 26 467 54 66
Internet : www.olf.ch
Courriel : information@olf.ch

• Pour la Belgique et le Luxembourg :
INTERFORUM editis BENELUX S.A.
Boulevard de l'Europe 117,
B-1301 Wavre – Belgique
Tél. : 32 (0) 10 42 03 20
Télécopieur : 32 (0) 10 41 20 24
Internet : www.interforum.be
Courriel : info@interforum.be

**Catalogage avant publication de Bibliothèque
et Archives nationales du Québec et
Bibliothèque et Archives Canada**

Ping, A. C.
Agir
Traduction de : Do

1. Actualisation de soi. I. Titre.

BF637.S4P56214 2007   158.1   C2007-941889-9

Pour en savoir davantage sur nos publications,
visitez notre site : **www.edjour.com**
Autres sites à visiter : www.edhomme.com
www.edtypo.com • www.edvlb.com
www.edhexagone.com • www.edutilis.com

09-07

L'ouvrage original a été publié
par Marlowe & Company,
succursale de Avalon Publishing
Group Incorporated,
sous le titre *Do*

Dépôt légal : 2007
Bibliothèque et Archives nationales
du Québec

ISBN 978-2-89044-752-3

Gouvernement du Québec – Programme de crédit
d'impôt pour l'édition de livres – Gestion SODEC –
www.sodec.gouv.qc.ca

L'Éditeur bénéficie du soutien de la Société de
développement des entreprises culturelles du
Québec pour son programme d'édition.

Le Conseil des Arts du Canada
The Canada Council for the Arts

Nous remercions le Conseil des Arts du Canada de
l'aide accordée à notre programme de publication.

Nous reconnaissons l'aide financière du gouvernement du Canada par l'entremise du Programme
d'aide au développement de l'industrie de l'édition
(PADIÉ) pour nos activités d'édition.

A. C. Ping

Agir

Traduit de l'anglais par Louise Chrétien
et Marie-Josée Chrétien

Introduction

Non ! Pas essayer ! Faire ou ne faire pas.
Essai il n'y a pas.
— YODA, *L'Empire contre-attaque*

C'est l'une des scènes classiques du film *L'Empire contre-attaque.* Sur quelque planète éloignée, Yoda se tient en équilibre sur le pied de Luke, pendant que celui-ci se sert de la Force pour faire léviter des roches. Soudainement, son vaisseau spatial s'enfonce dans le marécage, et il perd sa concentration, ce qui fait dégringoler Yoda jusqu'à terre.

« Je ne le sortirai jamais de là, dit Luke.

— Sers-toi de la Force, lui conseille Yoda.

— Je vais essayer », lui répond Luke.

En entendant cette réponse, Yoda s'emporte et lui lance la phrase ci-dessus.

N'aimeriez-vous pas avoir un Yoda ? N'aimeriez-vous pas avoir un mentor, quelqu'un vers qui vous tourner en temps de crise et d'incertitude ? Votre Yoda ferait sûrement sensation dans les dîners mondains... « Yoda, vous me passez le sel, s'il vous plaît ? Au fait, comment allons-nous régler la crise au Moyen-Orient ? Et quelle EST exactement la signification de la vie ? »

Des certitudes. Voilà ce que nous cherchons tous. Les crises et le chaos qui nous entoure sont de très grandes sources d'anxiété. Si seulement nous pouvions avoir des certitudes, si seulement il y avait une chose ou une personne qui puisse répondre à nos difficiles questions existentielles... *Cette relation marchera-t-elle? Est-ce le bon emploi à prendre? Devrais-je déménager?*

Malheureusement, rien n'est certain. Tout change et, pour trouver des réponses, il n'y a qu'une seule façon: agir. Et « agir » signifie prendre des risques, se mouiller dans les eaux de la vie, faire des vagues, trouver parfois le bon chemin, et parfois pas, blesser des gens, s'imposer des défis et en imposer aux autres...

Il y a des réponses partout! Jetez un coup d'œil sur les rayons de la première librairie et vous verrez toutes sortes d'ouvrages proposant des recettes pour être heureux, s'épanouir, connaître le grand amour et réussir financièrement. Comme toujours, cependant, et comme le dit Yoda, le secret consiste à savoir agir.

C'est pourquoi le présent ouvrage traite non pas du « pourquoi », mais bien du « comment »: vous utiliserez certains concepts pour travailler à transformer votre vie, à être heureux et à vous épanouir. Ce livre, *Agir,* est la suite de mon ouvrage précédent, intitulé *Être. Agir* se divise en trois parties – agir sur soi, agir sur le bonheur et agir sur le monde.

AGIR SUR SOI

L'être authentique

Par-delà le bien et le mal.

— NIETZSCHE

« **Vous** devez être vous-même, trouver votre véritable personnalité et vivre la vie que vous avez été mis au monde pour vivre... » J'ai entendu cela des centaines de fois! Hummm... Pardonnez-moi mon ignorance, mais qu'est-ce que cela veut dire exactement? Et j'ai bien dit EXACTEMENT. Coupons court au baratin. J'aimerais bien que vous m'expliquiez ce que je dois comprendre, et ce que je pourrais bien y faire!

N'avez-vous pas déjà ressenti ce genre de sentiment, peut-être pendant quelque édifiante séance de croissance spirituelle ou d'entraide émotionnelle? Pendant que les gens autour de vous souriaient les yeux rêveurs, tout dégoulinants d'amour, en déconnant sur la façon dont leur vie venait de changer du tout au tout, vous étiez là en train de vous demander: «Mais qu'est-ce qui leur prend?»

Cela m'est arrivé... et, oui, je sais que je suis cynique, mais je suis loin d'être le seul. Et comment un cynique répond-il à la question *Qui suis-je*?

Je crois qu'il faut commencer par parler d'authenticité. Si nous sommes mis au monde pour une raison et si nous avons certaines choses à accomplir pendant notre séjour sur terre, il doit bien y avoir une façon de vivre qui nous permette d'y parvenir. La recherche de l'authenticité est la recherche de notre vraie personnalité, laquelle nous est indispensable pour être l'article véritable et non une imitation bon marché ; pour vivre de vraies relations et avoir des bases solides pour agir avec fermeté et concrétiser nos rêves. Sans bases solides, nous gaspillons notre temps à passer d'une chose à une autre sans jamais avoir ce que nous voulons.

Alors, qu'est-ce que l'être authentique ?

LES TROIS DOMAINES DE LA VIE

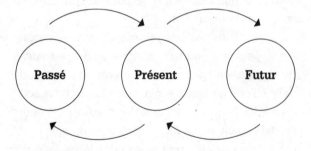

C'est la façon de voir le monde que j'ai présentée dans mon ouvrage précédent, *Être*. Nous pouvons diviser le monde, et notre vie, en trois domaines – le passé, le présent et le futur.

Le passé contient les expériences, les opinions, les jugements et le bagage que nous avons accumulés pendant notre vie. Ensemble, tous ces éléments nous donnent notre point de vue global sur la vie ; ils sont à la base de notre compréhension du monde et de nos interactions avec celui-ci. Si nous nous contentons de délimiter notre territoire et de rester fermement ancré dans le passé, nous ne pouvons rien créer de nouveau. Confronté à une situation nouvelle, nous ressassons nos expériences passées et prenons des décisions en fonction de ces expériences. Et en agissant de cette façon, nous transposons nos vieux préjugés dans le présent. Par exemple, si vous voyez le monde comme un endroit dangereux où tout le monde cherche à vous avoir, vous ne laisserez jamais les gens se rapprocher de vous, ce qui limitera vos possibilités de vous lier avec de nouvelles personnes.

Dans le présent, les choses « sont » ou « ne sont pas ». Soit que vous êtes assis en train de lire le présent livre, soit que vous ne l'êtes pas – c'est un fait indiscutable. Le présent est le moment où les choses se passent, et c'est le seul moment où l'esprit et la matière se rencontrent, ce qui signifie que le présent constitue votre seule possibilité d'avoir une influence sur le monde matériel.

Le futur est une toile vierge, où tout est possible. Le futur vous permet de rêver vos rêves, et d'imaginer d'infinies possibilités. Le futur est le foyer de votre « vision » et de vos « idéaux ». Seul, cependant, le futur est exactement comme le passé – un flot de belles paroles qui vous sert à rêver. Le présent est le seul lieu où AGIR.

Et qu'est-ce que tout cela vient faire avec l'authenticité ?

Eh bien, l'être authentique est celui qui s'approprie ses possibilités d'être. Ça vous semble trop abstrait, trop mystique? Permettez-moi de vous l'expliquer autrement: l'être authentique prend possession d'idéaux futurs; il s'approprie des valeurs, une vision et des rêves, puis il en assume la responsabilité et s'en sert pour AGIR SUR SA VIE! Vous voyez ce que je veux dire?

Essayez de vous le représenter graphiquement.

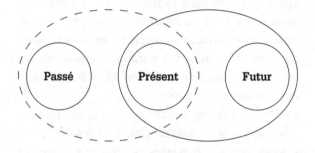

L'être authentique est l'être qui vit sa vie à l'intérieur de l'ovale dessiné d'un trait solide, qui englobe ses possibilités présentes et ses possibilités futures. L'être inauthentique vit sa vie dans l'ovale dessiné d'un trait pointillé, sur la gauche, où ses possibilités futures sont refoulées ou supprimées. Une personne qui vit dans l'ovale de droite a des rêves, une vision et des idéaux qu'elle cherche activement à atteindre. Une personne qui vit dans l'ovale de gauche s'est condamnée à vivre dans le passé; elle a renoncé à la possibilité de réaliser ses rêves; elle a ni plus ni moins décidé de s'en tenir à un territoire et de ne plus bouger.

Je crois que nous commençons tous notre vie dans l'ovale de droite, mais que nous découvrons à un certain point qu'il est difficile de croire en nos rêves. Ne faisons-nous pas toutes sortes de compromis avant de nous contenter de ce que nous avons? Ne laissons-nous pas nos rêves pourrir en nous jusqu'à ce qu'ils ne se manifestent plus que sous forme d'amertume? Ne devenons-nous pas plus enclins à nous justifier qu'à regarder les choses en face? Nous avons des regrets, nous nous replions sur nous-mêmes et nous passons notre temps à justifier nos choix. Et si quelqu'un nous parle de ses rêves les plus fous, nous sommes les premiers à les démolir et à lui dire qu'ils sont impossibles. «Ne sois pas ridicule!» pensons-nous.

N'est-ce pas notre cas à tous? N'êtes-vous pas devenu du genre à dire: «La vie n'est pas rose et on n'a pas toujours ce qu'on veut!»

Comme vous lisez ce livre, cependant, peut-être en avez-vous assez de cette vie qui est la vôtre? N'y a-t-il rien qui puisse vous motiver à changer?

N'avez-vous pas envie de trouver votre véritable personnalité? N'avez-vous pas envie de vous approprier vos possibilités d'être?

Mettez la tête
sur le billot !

Voyageur, il n'y a pas de chemin.
Nous l'ouvrons en avançant.
— MACHADO, poète espagnol

J'espère que vous ne pensiez pas que ç'allait être facile, que j'allais vous donner une réponse simple ou vous faire quelque révélation étonnante pour que vous puissiez devenir instantanément la personne que vous avez toujours voulu être. Êtes-vous du genre à collectionner les cours ? À chercher sans cesse un nouvel atelier ou un nouveau livre qui vous révélera LA solution ? Je sais ! Si seulement il existait un Yoda ou quelque autre gourou pour nous aider à cesser de tourner en rond, pour nous donner toutes les réponses, la vie serait une partie de plaisir ! Malheureusement, ce n'est pas le cas et nous devons faire le travail nous-mêmes.

Jusqu'où va votre volonté de vous engager ? C'est la première question que vous devez vous poser. Vous engager signifie accepter de miser sur une chose et de la nourrir jusqu'à ce qu'elle devienne réalité. Pour cela, cependant, il vous faut un enjeu, faute de quoi vous n'arriverez à rien. Un enjeu est un levier qui multiplie vos efforts et optimise vos résultats. Par exemple, vous aurez du mal à soulever un sac de ciment, sauf si vous utilisez une planche comme levier : en la plaçant sur un bloc, en roulant le sac de ciment sur une de ses extrémités et en vous tenant sur l'autre, vous y parviendrez facilement.

Voici un autre exemple plus subtil. Je travaillais autrefois dans un cabinet de formation spécialisé en leadership et en gestion du changement. Le patron de la boîte était un mec plutôt rusé. Dès qu'un client s'informait du coût de la formation qu'il voulait suivre, le patron lui répondait 60 000 $. Pour un cours de cinq jours ou pour un acompte, la réponse était toujours la même. Nous étions tellement habitués à l'entendre dire ce chiffre que nous nous étions mis à l'appeler l'homme à 60 000 $. Un jour, je lui ai demandé pourquoi il exigeait toujours 60 000 $; sa réponse m'a ouvert les yeux. Il m'a dit : « Il doit y avoir un enjeu, faute de quoi il n'y a pas de levier, ce qui ne laisse qu'une possibilité de changement limitée.

— Que voulez-vous dire ? lui ai-je demandé.

— Les clients prennent notre travail beaucoup plus au sérieux lorsqu'ils paient cher. Imaginez ! Si nous ne leur demandions que 100 $, ils suivraient nos cours en écoutant bien attentivement, mais une fois de retour au travail ils recommenceraient probablement à faire les choses comme ils les ont toujours faites. L'argent, qui les motive, leur sert de levier, c'est tout. »

C'est la même chose dans la vie. S'il n'y a pas d'enjeu, si vous ne vous engagez qu'à moitié, vos projets dépendront toujours de caprices. Vous tournerez en rond, à attendre des preuves qu'il vaut la peine de changer.

Vous avez besoin de preuves pour vous engager plus sérieusement...

Où donc trouverez-vous le levier pour décupler vos efforts et trouver la volonté de changer?

Êtes-vous suffisamment insatisfait de la vie que vous menez présentement pour accepter de vous mettre la tête sur le billot et de devenir quelqu'un d'autre? Êtes-vous prêt à renoncer à tout jamais à la victime qui se cache en vous? S'il est facile de consulter des livres et de discuter avec les gens, il en est tout autrement lorsqu'il s'agit d'agir. Prenez tout de suite quelques instants pour réfléchir et déterminer si vous voulez changer. Dressez une liste des changements dont vous rêvez. Pourquoi voulez-vous changer? Qu'est-ce qui cloche tant chez vous pour que vous vouliez être différent?

NOTES

Les raisons pour lesquelles je veux changer...

Les côtés de moi-même que je veux laisser aller...

_____

_____

_____

_____

_____

_____

Ma volonté de changer est...

_____

_____

_____

_____

_____

_____

Vous avez besoin d'un certain niveau de tension pour trouver la motivation nécessaire pour passer à travers les difficiles étapes associées au changement. Vous devez savoir ce que vous avez à gagner! Autrement, vous retomberez dans vos vieilles habitudes dès que les choses deviendront trop difficiles.

Vous devriez maintenant avoir dressé une liste de vos raisons de changer. Si vous ne l'avez pas encore fait, faites-le MAINTENANT! En continuant à lire sans avoir noté les raisons qui vous motivent à changer, vous feriez carrément preuve d'un grand manque de sérieux! Allez! Au travail!

Maintenant, vous avez une liste. Quel engagement avez-vous pris? Combien de temps êtes-vous prêt à y investir? Une heure par semaine, une heure par jour, combien? Réfléchissez-y sérieusement et montrez-vous réaliste. Si vous ne disposez que de trois heures par semaine, engagez-vous pour trois heures par semaine et non pour six. Ne vous condamnez pas à la potence!

Maintenant, au bas de la liste de vos raisons de changer, écrivez: «Je m'engage à y investir x heures par semaine, tant et aussi longtemps que je n'aurai pas atteint mon but.»

Maintenant que vous avez pris le ferme engagement de changer, voyons la suite!

Celui qui connaît toujours la réponse

Un véritable génie exprime ce qui est dans son cœur
Parce que c'est dans notre cœur à tous.
— RALPH WALDO EMERSON, *Self-Reliance*
(traduction libre)

En lisant des livres comme celui-ci, ne vous arrive-t-il pas de vous dire: «Tiens, c'est parfaitement sensé, mais j'ai l'impression que, au fond, je savais déjà tout cela!» En fait, je crois qu'il y a en chacun de nous une petite partie qui comprend ce genre de choses. Selon le principe fondamental des Essènes, peuple ancien du Moyen-Orient, nous sommes déjà guéris, pourvu que nous trouvions en nous cette partie de nous-mêmes qui nous guérit. C'est là le secret. Si vous voulez découvrir votre véritable personnalité, votre personnalité authentique, vous devez accéder au niveau de conscience voulu pour vous voir véritablement. Si vous y accédez, vous pourrez être honnête avec vous-même.

Encore une fois, comment faut-il s'y prendre?

Dans *Être*, nous avons parlé de la nécessité de cesser de réagir aux choses et de nous assurer un espace mental où nous sommes à l'écoute de nous-mêmes. Nous avons parlé des bienfaits de la méditation, qui constitue le véritable point de départ, et de la nécessité de cultiver l'art de s'observer.

Voyons l'exemple qui suit. Un jour que je discutais de ces principes avec un ami, ce dernier m'a dit: «Ah oui, je vois ce que tu veux dire. Tantôt, en montant dans ma voiture, j'ai eu la très nette impression que mon ex petite amie se désespérait d'avoir de mes nouvelles.

— Et lui as-tu téléphoné? ai-je demandé.

— Non, mais j'ai su plus tard qu'elle pensait très fort à moi au moment où j'ai eu cette impression. Elle sentait qu'elle avait vraiment besoin de moi.

— Et pourquoi ne lui as-tu pas téléphoné?

— Je me suis dit qu'il valait mieux ne pas l'appeler. J'en avais envie, mais nous venons de nous séparer et j'ai préféré ne pas céder à la tentation.»

Pourquoi n'écoutons-nous pas cette petite voix intérieure qui s'immisce dans notre vie à tout bout de champ? À mon avis, nous sommes trop habitués à accepter le monde tel que nous le voyons objectivement pour nous mettre à l'écoute de nos sentiments. Nous ignorons le moindre frisson intuitif qui nous envahit soudainement, de peur qu'il n'ébranle notre façon rationnelle et logique de voir le monde. Malheureusement, en refoulant constamment nos sentiments et nos intuitions, nous finissons par les oublier. Pensez à un enfant qui demande constamment de l'attention. Si vous n'y faites pas attention, vous arrivez peu à peu à ne plus l'entendre.

Combien de fois vous est-il arrivé d'entendre, au dernier moment, une petite voix intérieure vous suggérer une autre solution, que rien pourtant ne semblait justifier. Et combien de fois avez-vous ignoré cette voix, pour vous dire plus tard, après la catastrophe: «Merde, si seulement j'avais suivi mon intuition!»

Pensez par exemple aux relations amoureuses. Voici un cas classique: vous rencontrez une femme qui vous plaît. Malgré une petite voix intérieure qui vous dit de laisser tomber, vous vous liez avec elle. Vous vivez une relation agréable, non pas exceptionnelle, mais simplement agréable, dans laquelle vous vous installez. Malheureusement, votre voix intérieure vous harcèle de plus en plus, et vous devez sans cesse vous creuser la tête pour trouver des raisons logiques de rester. Et plus vous restez, plus il vous est difficile de partir. Comme pour vous tenter, on vous présente un jour la meilleure amie de votre partenaire. C'est le coup de foudre! Vous savez tout de suite que c'est EXACTEMENT la personne que vous cherchez. Pourtant, vous ne bougez pas. Puis, un beau jour, vous trouvez le courage de partir. Vous vous justifiez en évoquant quelque piètre argument et des querelles domestiques sans importance. Votre partenaire n'en revient pas, car, pense-t-elle, «tout allait tellement bien!» Eh oui, justement, tout allait tellement bien! Vous voyez ce que je veux dire! Mais je m'éloigne de mon sujet.

Nous nous fions peu à nos intuitions parce que ce n'est pas de cette façon que nous avons appris à prendre des décisions. Selon la méthode scientifique et la logique, nous devons d'abord examiner les données, PUIS prendre une décision éclairée. Il n'est jamais question de nous mettre à l'écoute de nos véritables sentiments pour prendre une décision, n'est-ce pas!

Alors, voyons...

Commencez par prendre quelques instants juste avant d'aller dormir pour réfléchir à ce qui s'est passé pendant la journée. Qu'avez-vous ressenti à l'égard des différents événements qui se sont produits? Avez-vous fait des choses ou pris des décisions dont vous n'êtes pas satisfait? Si c'est le cas, prenez la résolution d'y remédier sans tarder.

Avant de vous lever le lendemain, faites le même exercice. Pensez à la journée que vous allez passer et voyez si certaines des tâches ou des décisions qui vous attendent pourraient vous faire vivre des émotions particulières. Réfléchissez!

Vous devrez ensuite briser le cercle vicieux qui vous pousse à vous presser sans cesse; apprenez à ne plus agir comme si le temps était de l'argent. Vos mauvaises décisions vous hanteront beaucoup plus longtemps que le temps que vous auriez pu perdre à les reporter.

De nos jours, tout le monde est pressé. Ne sommes-nous pas prompts à juger qu'une personne est détraquée si elle met trop de temps à se décider? Personne n'échappe à la pression... il faut se dépêcher... pour l'amour du ciel, le temps file... Si vous vous sentez bousculé, ne laissez surtout pas les autres vous dire quoi faire – c'est votre vie et c'est à vous d'en assumer la responsabilité. Ce ne sont pas les autres qui payeront les pots cassés si vous prenez de mauvaises décisions – pourquoi les laisseriez-vous vous bousculer?

Si vous savez vous mettre à l'écoute de vous-même et de vos intuitions, les choses vous sembleront de plus en plus claires et vous arriverez à prendre des décisions plus rapidement. MAIS, et c'est un gros mais, toute re-programmation demande du temps, et vous devrez faire preuve de patience.

Si vous savez vous fermer au chaos qui vous entoure pour vous mettre à l'écoute de vous-même, vous parviendrez à mieux comprendre vos sentiments et à être plus proche d'eux. Dites-vous que c'est un peu comme s'entraîner. La première fois qu'on va au gymnase, on doit se forcer. Tout est nouveau, on ne sait pas se servir des appareils, on a mal partout après et on s'en passerait royalement! En y allant régulièrement, cependant, on en prend vite l'habitude et on ne tarde pas à savoir se servir des appareils, à soulever des poids plus lourds et à y trouver une façon de faire le plein d'énergie!

En suivant le chemin de la vie,
tu verras un profond abîme.
Saute, il n'est pas aussi large que tu le penses.
— Dicton amérindien

Pour méditer et vous mettre à l'écoute de votre véritable personnalité, la première étape consiste à «amorcer» cette première étape. Vous vous souvenez de l'engagement que vous avez pris? Eh bien, c'est ici que tout commence. Vous n'avez pas besoin de prendre une heure par jour. Cinq minutes, au lit, avant de vous endormir, ou cinq minutes avant de vous lever le matin, vous permettront d'amorcer votre transformation de vous-même. À partir de là, vous êtes seul maître à bord; inspirez-vous de vos résultats pour persévérer. Et, surtout, soyez patient!

Jouer avec
les possibilités

Les rêves sont des visions qui fabriquent la réalité
Alors continuez à rêver.
— Anon (traduction libre)

Dans *Être,* nous avons parlé de «vision». J'espère que vous voyez maintenant comment la vision s'insère dans la notion d'authenticité. Avant de pouvoir vous l'approprier, vous devez rendre votre vision absolument limpide.

Lorsque je discute avec des gens de ce qu'ils veulent VRAIMENT dans la vie, je constate que leur vision n'a rien de limpide. En fait, je trouve extraordinaire que tant de gens sans vision claire réussissent à se torturer de ne pas en avoir. Ou en êtes-vous vraiment? Vous racontez-vous des histoires? Vous débrouillez-vous comme vous le pouvez, en espérant trouver un jour le temps de réfléchir pour vrai – entre le travail et le gym, entre une bière avec les copains et le dîner à la maison?

Exploitez toutes vos possibilités! Vous avez l'habitude des séances de remue-méninges au travail? Vous avez suivi un cours sur la pensée créative? Vous faites du dessin ou de la peinture? Réfléchissez! Laissez votre vie vous servir de matière à réflexion! Vous avez pris l'engagement d'investir du temps pour atteindre un but, c'est-à-dire pour changer. Consacrez-en une partie à vous interroger sur votre vie. Si vous croyez que cela peut vous être utile, vous pouvez même faire cet exercice avec quelques amis intimes, lors d'un dîner chez vous, par exemple. Je ne plaisante pas! Pourquoi diable ne le feriez-vous pas?

En fait, j'ai l'impression que les gens ont surtout de la difficulté à imaginer toutes les possibilités qui existent, comme si notre monde nous condamnait à une certaine façon de vivre. Sans que nous ayons le temps de nous en apercevoir, notre vision du monde se rétrécit et nous finissons par ne plus rien voir au-delà de nos œillères. C'est une des raisons pour lesquelles j'aime voyager. Intellectuellement, il est très stimulant d'échanger avec des gens d'autres cultures. Le monde est très vaste – lorsque je travaillais au Royaume-Uni comme consultant en gestion, mes collègues et moi nous préoccupions surtout d'avoir de belles voitures, de porter des vêtements chers, de fréquenter les meilleurs restaurants et d'habiter d'imposantes maisons. À cette époque, deux choses me définissaient: le succès professionnel et le fric. Dès que j'étais malheureux, je me trouvais un nouvel emploi, ce qui m'apparaissait comme la solution la plus simple dans notre société capitaliste de libre marché. J'aurais pu continuer ainsi jusqu'à la retraite, où j'aurais eu droit à toutes les félicitations d'usage, ainsi qu'à de très généreuses prestations. Cependant, malgré mes «succès», jamais je n'aurais eu la moindre idée de ce que je voulais VRAIMENT faire.

Après le Royaume-Uni, je me suis retrouvé en Afrique. Imaginez-moi m'agrippant de mon mieux à la crinière d'un cheval! J'avais l'impression que la vieille selle sur laquelle j'étais assis allait me mettre la peau à vif. Nous gravissions le côté d'une montagne, en route vers un petit village où la nourriture était rare et l'eau du puits à peine potable. Lorsque nous sommes arrivés, personne ne m'a demandé ce que je faisais dans la vie; personne ne m'a demandé quel genre de voiture je conduisais ou combien d'argent je gagnais. Les gens voulaient seulement savoir qui j'étais, selon mes croyances plutôt que mon compte en banque. Je n'avais rien à cacher et, pendant un moment, j'ai complètement oublié ma vie au Royaume-Uni. Je me trouvais en compagnie de gens incroyablement heureux avec qui j'arrivais à communiquer à un niveau très profond. Grâce à eux, je me suis rendu compte qu'il y a plus d'une façon de vivre. Et n'allez surtout pas croire qu'il en est autrement, car vous vous fermeriez à d'infinies possibilités!

Dites-vous que les possibilités sont innombrables et n'hésitez pas à sortir de votre zone de confort pour en découvrir de nouvelles. Jouez avec vos idées et, prenez ma parole, vous ne vous ennuierez pas!

Pour commencer, faites le petit exercice suivant, qui consiste à vous poser des questions bien précises. Premièrement, demandez-vous où vous aimeriez vivre. Préféreriez-vous la ville, la campagne, la montagne, le bord de la mer, la forêt, le désert, une contrée enneigée, une maison, un appartement, etc.? Demandez-vous ensuite quels seraient vos rapports avec les gens. Vous en passeriez-vous totalement? Recevriez-vous quelques proches à dîner, sur invitation? Ouvririez-vous votre porte à des tonnes de gens débarquant à l'improviste pour vous narguer et boire VOTRE vin rouge jusqu'à en être saouls morts? Laisseriez-vous vos proches vous confier leurs enfants le temps d'aller faire du shopping ou rencontrer quelque admirateur secret? Et quel genre de travail choisiriez-vous? Préféreriez-vous du travail à l'intérieur ou à l'extérieur, dans une grande société ou dans un organisme communautaire? Serait-ce un travail physique ou un travail intellectuel? Combien d'argent voudriez-vous gagner? Vous contenteriez-vous de faire du troc grâce aux légumes que vous cultivez et aux chandails que vous tricotez avec la laine des alpagas que vous gardez sur un lopin de terre? Voudriez-vous un peu d'argent – juste assez pour payer les couleurs vous servant à peindre les époustouflants paysages que vous voyez de votre maison sur la falaise? Assez d'argent pour envoyer vos enfants dans de bonnes écoles et vous acheter des fringues de temps en temps? Beaucoup d'argent? Assez pour vous offrir une Ferrari neuve qui rendrait tous vos voisins malades d'envie?

Trouvez-vous cet exercice vraiment trop bébête? Bon! D'accord! Peut-être l'est-il un peu, mais voyez-vous où je veux en venir? Donnez libre cours à votre imagination. Ne vous laissez pas arrêter par ce que vous avez dans le moment ou par ce que les autres peuvent penser! RÉFLÉ-CHISSEZ! Lorsque vous aurez une bonne idée de l'endroit où vous voulez vivre, du travail que vous voulez faire et des gens que vous voulez fréquenter, vous pourrez vous poser une dernière question: «Quel genre de personne est-ce que je veux être? Extravertie, introvertie, aimable, grégaire?», ce qui vous amènera à réfléchir aux valeurs et aux principes les plus importants dans la vie. Les exercices contenus dans mon ouvrage précédent, *Être,* sont aussi très utiles pour répondre à ces questions.

Pour savoir si une chose nous va, il faut l'essayer! Allez-y!

NOTES
Je rêve de vivre...

_____

_____

_____

_____

_____

_____

Pour gagner ma vie, je rêve de...

_____

_____

_____

_____

_____

_____

Je rêve d'entretenir avec les autres les rapports
suivants...

_____

_____

_____

_____

_____

_____

Je serai du genre à...

_____

_____

_____

_____

_____

_____

Le futur vous ira-t-il ?

*Ceux qui rêvent la nuit dans
les recoins poussiéreux de leur esprit
s'aperçoivent au réveil que tout n'était que vanité ;
cependant, les rêveurs diurnes
sont des hommes dangereux, car
ils peuvent imaginer leurs rêves les yeux ouverts,
et les rendre possibles.*
— T. E. LAWRENCE (Laurence d'Arabie)
(traduction libre)

Vous est-il déjà arrivé de vouloir à tout prix un vêtement que vous veniez de voir dans une publicité à la télé ? Vous est-il arrivé de vous précipiter dans la boutique la plus proche seulement pour constater, à votre immense consternation, qu'il ne vous allait pas du tout comme il allait au mannequin ? Vous aviez l'impression de ressembler à une poche de patates ? Prenez garde que cela ne vous arrive ici ! Ne vous précipitez pas et n'agissez pas à la légère ! Vous ne pouvez pas essayer une nouvelle personnalité comme vous essayez un vêtement !

Heureusement, il existe une autre façon de faire : la visualisation. Une fois que vous aurez épuré vos possibilités, une fois que vous aurez une vision globale de votre nouvelle personnalité, vous devrez vérifier si elle vous va en faisant l'exercice suivant: retirez-vous dans un lieu tranquille, un endroit où vous ne serez pas dérangé et où vous pourrez rêver éveillé. Vous connaissez l'anecdote sur Edison? On dit qu'il allait à la pêche au brochet, mais qu'il ne mettait jamais d'appât au bout de sa ligne! Au pays du brochet, on n'interrompt jamais quelqu'un qui pêche!

Mais revenons à nos moutons! Installez-vous tranquillement, fermez les yeux et visualisez ce qui est pour vous la vie idéale. Voyez-la, sentez-la, touchez-la, écoutez-la... Comment vous va-t-elle? Est-elle excitante? Vous y sentez-vous à l'aise? Sinon, qu'est-ce qui vous chicote? Qu'est-ce qui vous fait PEUR?

Oui, arrêtez-vous un instant. Qu'est-ce qui vous fait peur? Sentez-vous un serrement bizarre dans votre estomac lorsque vous visualisez votre vie idéale? Un serrement qui vous donne l'impression de mal respirer? S'agit-il d'un sentiment d'anxiété que vous ne pouvez pas vraiment définir?

Si vous éprouvez ce genre de sentiment, vous devez chercher à l'approfondir. Vous devez identifier tout ce qui nuit à votre bien-être, faute de quoi votre subconscient risque de saboter tous vos efforts! Ne perdez pas courage! Retournez vous asseoir tranquillement et recommencez à visualiser votre vie idéale. Si le même sentiment bizarre vous assaille de nouveau, n'y faites pas attention. Concentrez-vous sur votre respiration; attachez-vous à rester détendu et ne le chassez pas. Au contraire, laissez-le s'épanouir. Laissez-le se révéler sous la forme d'une image ou d'une émotion claire et précise. Soyez patient. Cela peut mettre du temps à se produire et peut-être devrez-vous faire plusieurs tentatives. Persévérez. Dès que vous aurez identifié votre peur, notez-la sur papier. Nous y reviendrons dans un moment.

Je me souviens d'avoir fait cet exercice avec des gens qui étaient en train de lancer de petites entreprises. Dans le groupe, il y avait une femme qui rêvait d'une entreprise qui mettrait des aides familiales en contact avec des clients outre-mer. De nombreuses personnes avaient déjà manifesté de l'intérêt pour son projet. Après avoir fait l'exercice, elle est venue me voir, bouleversée.

« Je ne peux pas, m'a-t-elle dit.

— Pourquoi pas ? lui ai-je demandé.

— Lorsque j'ai visualisé mon entreprise florissante, je me suis rendu compte qu'il y manquait des enfants. Or, je veux absolument avoir des enfants. »

Nous en avons discuté et nous avons découvert qu'il lui suffirait de structurer son entreprise un peu différemment pour se donner la possibilité d'avoir des enfants. Elle ne l'aurait jamais su si elle n'avait pas endossé le rôle pour l'essayer. Elle aurait probablement fait tout le travail nécessaire pour mettre son entreprise sur pied et en faire un succès avant de s'apercevoir qu'elle s'était coincée dans une façon d'être qui ne la rendait pas heureuse.

Prenez votre temps, tournez votre vision dans tous les sens et faites les retouches qui s'imposent pendant qu'il est encore temps. Il est beaucoup plus difficile de retoucher une vie qui ne vous va pas qu'un vêtement qui tombe mal.

Ensuite, poussez les choses un peu plus loin et faites l'exercice de la journée idéale.

Déterminez à quoi ressemble une journée idéale dans votre monde idéal, du moment où vous vous réveillez jusqu'au moment où vous vous couchez. Commencez au commencement: lorsque vous ouvrez les yeux, que voyez-vous? Que ressentez-vous? Quelle est la première chose que vous faites? Et ensuite? Pendant la journée, que faites-vous? Où allez-vous? Comment vous déplacez-vous? Qui rencontrez-vous dans les endroits où vous vous rendez? Quelle est la première chose que vous faites en rentrant chez vous? Qu'est-ce qui fait votre bonheur?

Il est absolument crucial que vous fassiez ces deux exercices si vous voulez vous donner les moyens de vivre la vie dont vous rêvez. Vous devez avoir une idée très nette de ce que vous voulez, à défaut de quoi vous ne ferez que réagir à ce qui vous arrive, et vous devrez vous contenter de moins. Dites-vous que, si vous savez exactement ce que vous voulez, vous aurez de meilleures chances d'obtenir exactement cela!

NOTES

Ma journée idéale...

_____

_____

_____

_____

_____

_____

_____

_____

_____

_____

_____

_____

_____

_____

_____

_____

_____

_____

_____

_____

_____

_____

_____

_____

_____

_____

_____

_____

L'importance
d'une intention claire

Nous sommes ce que nous pensons
Nos pensées façonnent tout ce que nous sommes
Notre monde se crée dans nos pensées.
— BOUDDHA

Et maintenant, qu'allez-vous faire de votre vision? Allez-vous simplement attendre qu'elle se concrétise? Allez-vous y renoncer comme s'il s'agissait d'un rêve chimérique? Ne faites ni l'un ni l'autre! Servez-vous plutôt de votre intention d'agir pour la charger d'énergie. Autrement dit, agissez sur votre intention de devenir vous-même. Si vous ne le faites pas, votre vision demeurera dormante, comme tout autre désir inassouvi.

Le mot «intention» vient du latin et signifie «s'étirer en avant». Une vision s'inspire d'une intention. Sans intention, la vision n'est plus rien. Mais que veut dire exactement le mot «intention»?

Une intention est ce qui nous amène à investir consciemment de l'énergie pour créer quelque chose. Dans la vie, ne dit-on pas qu'une chose en attire une autre? Par exemple, si vous passez votre temps à vous dire que vous ne ferez jamais rien de bon, devinez quoi? Vous n'arriverez jamais à rien! En revanche, si vous pensez et agissez d'une manière qui nourrit votre vision, il y a de bonnes chances que vous parveniez à la concrétiser.

Permettez-moi une mise en garde! Pour obtenir ce que vous voulez, vous ne devez surtout pas consacrer toute votre énergie à réfléchir à ce que vous ne voulez pas. En agissant de la sorte, vous vous attireriez justement ce que vous ne voulez pas! Vous sauriez naturellement que ce n'est pas ce que vous voulez, mais vous finiriez par gaspiller encore plus d'énergie pour vous le prouver.

Voici une anecdote qui illustre bien où je veux en venir. Une femme de ma connaissance se faisait sans cesse de petits amis qui étaient en quête d'une figure maternelle. Si un homme lui semblait bien de prime abord, elle ne tardait pas à découvrir qu'il voulait une femme pour lui faire la cuisine et s'occuper de tout. Elle avait toujours l'impression de sortir avec un petit garçon et d'être non pas une femme, mais une mère. En réalité, elle s'attirait ce qui lui arrivait en se disant constamment: «Je ne veux plus jamais me retrouver avec un homme qui cherche sa mère!»

Elle mettait tant d'énergie dans ces mots qu'elle continuait à attirer des hommes dont elle ne voulait pas et à perpétuer un cercle vicieux.

Êtes-vous vous-même coincé dans ce genre de cercle vicieux? Vous retrouvez-vous constamment dans des situations que vous préféreriez éviter?

Pensez-vous surtout à ce que vous ne voulez pas, au lieu de penser à ce que vous voulez?

Si vous répondez à cette question par l'affirmative, vous devez changer votre dialogue intérieur. Arrêtez-vous immédiatement et dressez une liste de toutes les choses que vous ne voulez pas et auxquelles vous pensez consciemment. Une fois cette liste dressée, vous devrez renoncer à penser à toutes les choses qui y figurent. Remplacez-les par des choses que vous voulez. Par exemple, voici ma façon préférée de composer avec une telle liste: je la brûle dans le foyer! C'est d'ailleurs pour cette raison que cette question n'est pas suivie d'une section «Notes»! À mesure que le papier s'enflamme et disparaît en cendres, je regarde consciemment ces choses disparaître de ma vie. Faites comme moi! Laissez aller ces choses! Lâchez prise!

Attardez-vous plutôt à bien clarifier ce que vous voulez en y mettant consciemment toute l'énergie qu'il faut. Pendant vos séances de méditation matinales, prenez le temps de réfléchir à votre intention, c'est-à-dire à ce que vous voulez, à la personne que vous voulez être.

La visualisation vaut mieux que la vaine prière!

J'ai mis beaucoup de temps à comprendre cela. Je me suis toujours demandé pourquoi certaines personnes n'avaient aucune difficulté à concrétiser leurs rêves, tandis que d'autres se débattaient sans cesse pour y parvenir, malgré toutes leurs bonnes intentions.

La réponse se résume à un mot: CROIRE.

Vous pouvez avoir les meilleures intentions au monde, vous n'arriverez à rien si vous n'y croyez pas de manière absolue. Il s'agit en fait d'une équation toute simple: INTENTION + CROYANCE = CRÉATION.

Vous devez croire en la concrétisation de vos rêves, qui doivent être pour vous aussi clairs que l'eau de roche! Vous devez croire d'une manière qui ne vous laisse aucun doute sur l'inévitabilité du résultat que vous obtiendrez.

Voici une anecdote qui vous aidera à comprendre ce que je veux dire. Un jeune homme s'était rendu en Arizona pour visiter un ami autochtone. À l'époque, une terrible sécheresse sévissait dans la région et l'ami en question l'avait invité à l'accompagner jusqu'à un lieu sacré dans les montagnes. Ils avaient marché toute la journée et étaient arrivés au lieu sacré au moment où le soleil se couchait. Très excité, le jeune homme croyait que son ami autochtone allait s'adonner à quelque rituel extraordinaire. L'homme s'assit pendant un moment, remit de l'ordre dans ses pensées et pénétra ensuite dans le lieu sacré, où il se mit à danser en rond, les yeux fermés. Au bout de quelques minutes, il s'arrêta de danser et, revenant vers le jeune homme, il lui dit qu'il était temps de repartir.

«Alors, as-tu prié pour qu'il pleuve?» lui avait demandé le jeune homme.

Son ami l'avait alors regardé et lui avait dit: «Non, je me suis vu qui dansait dans les rues pendant que les cieux s'ouvraient; la pluie tombait sur mon visage, des flaques d'eau se formaient et je sentais la joie que tout le monde éprouvait. Si j'avais prié pour qu'il pleuve, la pluie ne serait jamais venue.»

Voyez-vous la différence? Vous devez mettre de l'énergie dans la vision RÉELLE, pour la transposer dans le monde, et NON dans l'espoir que quelque chose se passe – auquel cas, ce n'est qu'un désir.

L'autre chose que vous devez faire est de vous VOIR DANS LA SCÈNE. Il ne sert à rien de visualiser une situation idéale sans vous visualiser vous-même dans cette situation. Qu'arriverait-il dans ce cas? Vous évoqueriez une situation, mais vous ne seriez qu'un simple observateur.

La croyance alimente l'intention et l'intention sert d'inspiration à la vision. Si vous avez une vision limpide et une intention claire, et si vous y croyez, vous POURREZ créer ce que vous voulez dans le monde. Le secret consiste à bien aligner ces trois éléments.

Le courage

La vie de toute personne se rétrécit ou s'étend
Proportionnellement à son courage.
— Anaïs Nin

Ah! Le courage! Qu'est-ce que c'est? Comment le trouve-t-on? Pourquoi certaines personnes en ont-elles plus que d'autres?

Qu'en pensez-vous? Si vous n'aviez pas peur, auriez-vous du courage? Je crois que oui! Par exemple, si je n'avais pas peur de sauter dans la mer d'une falaise de 30 mètres, je le ferais sans y penser et ça n'aurait rien de bien extraordinaire... Cependant, une personne qui n'a jamais peur de rien est une personne carrément dangereuse! Vous connaissez sûrement des gens qui n'ont peur de rien. Insouciants des conséquences, ce sont eux qui finissent toujours par nous mettre dans le pétrin en nous entraînant dans des aventures abracadabrantes et généralement illégales d'une façon ou d'une autre.

Nos peurs nous sont utiles, car elles nous empêchent de faire des bêtises. Elles n'ont donc rien de mauvais en soi. En fait, je crois que le courage est la force de reconnaître nos peurs, et de ne pas les laisser nous dicter notre façon d'agir. À mon avis, le secret consiste à faire une distinction entre les peurs qui nous sont utiles et celles qui ne nous servent à rien. Mais comment diable s'y retrouve-t-on?

Certaines peurs sont faciles à classer, comme la peur qui nous empêche de nous élancer devant un bus en marche – nettement dangereux! Même si je n'ai jamais été heurté par un bus, je sais que ce n'est pas une chose à faire...

Permettez-moi de vous raconter une anecdote. Il n'y a pas très longtemps, je me suis retrouvé sur une plage de Virginie Occidentale en compagnie d'un ami. Dans les rochers, il y avait une stupéfiante mare d'eau de mer. Un récif la protégeait de la mer d'un côté et, de l'autre côté, il y avait un énorme rocher qu'on pouvait escalader. Pendant un moment, nous avons observé des enfants qui grimpaient jusqu'au sommet du rocher pour ensuite sauter dans la mare. Croyez-moi! Je ne vous parle pas d'un petit rocher, mais bien d'un rocher qui faisait probablement 12 mètres de haut. Les enfants s'amusaient ferme, parfaitement insouciants du danger. Dès qu'ils ont été partis, j'ai sauté dans la mare pour en vérifier la profondeur et voir s'il n'y avait pas de roches juste sous la surface de l'eau. Aucun problème! La mare avait au moins 6 mètres de profondeur; l'eau était claire et le fond sablonneux. Tant qu'on sautait au milieu, les risques de se blesser gravement étaient très faibles.

Mon ami et moi avons escaladé le rocher, mais, une fois au sommet, la mare nous semblait très très loin en dessous! Même si nous avions vu les enfants sauter et sortir de l'eau sains et saufs, même si nous savions que la mare était profonde et libre de toute roche dangereuse, nous avions quand même peur. Pourquoi? Soudainement, nous n'avions plus que des doutes: et si nous glissions et nous fracassions le cou sur le bord rocheux? Et s'il y avait une roche cachée que nous n'avions pas vue? Et si les enfants étaient trop légers pour toucher le fond, contrairement aux adultes qui se cassaient les deux jambes en le heurtant? Et si? Et si? Et si? Merde! La peur nous paralysait. Même si tout nous disait: «Sautez», nos peurs nous faisaient reculer.

Que pouvais-je faire? Dans ce genre de situation, je crois qu'il faut se poser une question cruciale, c'est-à-dire: «Qu'est-ce que je veux?» Que diable! Je voulais avoir autant de plaisir que les enfants que je venais de voir! J'ai donc cessé de penser et je me suis lancé dans le vide! Iiiiiiiii! Je fends l'eau! Super! Rien de cassé! Quelle poussée d'adrénaline!

«Allez, viens! ai-je lancé à mon ami.

— Jamais de la vie! m'a-t-il crié du sommet du rocher. Je ne sauterai pas!»

Il est redescendu et s'est jeté dans la mare, l'air contrarié et l'ego blessé...

«Allez, viens! Ce n'est pas si haut, lui ai-je dit.

— Je sais, mais une fois au sommet, ça paraît diablement haut!

— Mais non! Regarde bien! Ce n'est pas si haut!»

Il est vrai que, lorsque nous regardions le rocher, le sommet ne paraissait pas très haut.

Une fois au sommet, cependant, la distance semblait beaucoup plus grande. Mon ami voulait vraiment sauter et, naturellement, je n'allais pas le laisser se dérober. Il savait que, s'il rentrait à la maison sans avoir sauté du rocher, je le taquinerais sans pitié pendant un bon bout de temps.

« N'y pense pas! lui ai-je dit. Grimpe jusqu'au sommet et saute, sans hésiter! »

Il y a réfléchi pendant un moment. Puis, devant mon insistance, il a fini par escalader le rocher. Une fois au sommet, il n'a jeté qu'un coup d'œil sur la mare et il a sauté.

Avez-vous déjà vécu une telle expérience?

Nos peurs se fondent sur nos expériences passées – qui nous fournissent des preuves de première main – ainsi que sur des choses entendues ou apprises – qui nous fournissent des preuves indirectes. Cependant, elles se fondent aussi sur toutes les histoires que nous avons dans la tête et que nous avons prises Dieu sait où. Or, cela complique grandement les choses, surtout lorsque nous intensifions nos peurs en nous mettant à nous dire: «Et si?» Pas étonnant que vos peurs prennent parfois des dimensions ahurissantes!

Voici donc la question clé que vous devez vous poser: *La peur m'empêche-t-elle de faire ce que je veux faire?* N'oubliez pas que la peur ne mord jamais aussi cruellement que les regrets. Si vous voulez VRAIMENT faire quelque chose, vous devrez faire face à votre peur, à défaut de quoi vous finirez par avoir uniquement des regrets. Vous voyez ce que je veux dire? Voulez-vous vraiment vous retrouver à vous dire sans cesse: «J'aurais tant voulu faire telle ou telle chose»? Voulez-vous vraiment vous retrouver à écouter les autres raconter les aventures que vous auriez voulu vivre? Que faites-vous de l'authenticité? C'est pourtant la grande question! Vous devez trouver le courage d'aller au bout de vos rêves. Si vous ne les réalisez pas, vous saurez au moins que vous avez essayé et vous n'aurez pas de regrets!

Grâce à la visualisation, vous devriez pouvoir vous faire une bonne idée de ce que vous voulez faire, et vous devriez pouvoir nommer les peurs qui entravent vos progrès. Vos séances de méditation et de visualisation vous ont peut-être déjà permis de mieux comprendre certaines de vos peurs et certaines des histoires que vous vous racontez!

Dressez maintenant une liste de toutes vos peurs, puis divisez-les par catégorie: peurs fondées sur des expériences passées; peurs venant d'expériences indirectes; et peurs découlant d'histoires que vous vous racontez.

Toutes ces peurs vous donnent-elles des sueurs froides dans le dos? Prenez sur vous! Dites-vous qu'elles font obstacle à la réalisation de vos rêves, ce qui signifie que vous devez vous y attaquer, sans en négliger une seule.

Mais revenons pour le moment au passé, au présent et au futur.

LES TROIS DOMAINES DE LA VIE

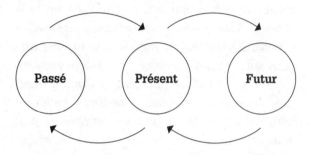

Vos peurs viennent du passé, tout comme vos expériences directes, ce que vous avez entendu les autres dire et les histoires que vous vous racontez. En revanche, votre vision et vos rêves appartiennent au futur – et il n'y a pas de peurs dans le futur, à moins que vous ne les projetiez dans ce domaine. Vous devez donc prendre des mesures dans le présent pour court-circuiter les peurs qui cherchent à s'immiscer dans votre futur.

Vous devez vous rendre maître de votre destin en jetant un pont entre le passé et le futur que vous vous réservez. Voyez les choses en face: vous avez sur le dos un sac qui contient toutes les choses que vous avez accumulées au fil des ans. Ce sac est très lourd, tellement lourd, en fait, qu'il vous ralentit; il est encombrant et difficile à porter; il arrive même qu'il vous fasse chanceler et qu'il fasse tomber des gens que vous croisez sur votre chemin. Vous savez que votre sac est trop lourd, mais vous refusez de vous séparer de toutes ces choses que vous collectionnez depuis des années! Vous préférez vous raccrocher plutôt que de connaître la douleur de renoncer à tout ce qui encombre votre sac!

Que feriez-vous si vous vous retrouviez soudainement devant un ravin tellement profond qu'il vous semblerait sans fond? Sauriez-vous renoncer à votre sac trop lourd pour traverser l'étroit pont de corde qui vous permettrait de continuer? Dans la vie, il faut savoir faire des choix. Vous pouvez conserver toutes vos choses et regarder avec envie vers l'autre côté, ou vous pouvez faire l'inventaire de votre sac et renoncer à certaines choses superflues.

Réfléchissez! Lorsque vous arrivez à un pont, et ils seront nombreux le long de votre route, ne le traversez pas sans y penser, avec tous vos bagages sur le dos. Arrêtez-vous et faites l'inventaire de votre sac. Déterminez ce qui peut vous servir et laissez le reste derrière. Vous n'avez pas besoin de toutes ces choses qui ne servent qu'à vous ralentir! Vous aurez du mal à les laisser derrière, car vous les traînez depuis trop longtemps. Ici encore, le secret consiste à savoir très nettement ce que vous voulez et pourquoi.

Première étape: s'il s'agit d'un fait et que vous pouvez y faire quelque chose, faites-le

Permettez-moi de vous raconter une anecdote pour mieux me faire comprendre.

Je voulais pouvoir parler en public avec assurance, mais la seule pensée de prendre la parole devant un auditoire me donnait des sueurs froides. Même pendant un séminaire, je n'arrivais pas à lever la main pour poser une question; j'étais

tellement nerveux que je n'arrivais pas à pro-
noncer un mot.

J'étais là, coincé. Je voulais pouvoir prendre
la parole en public, mais j'étais tellement ridicu-
lement nerveux que je ne savais pas par quel
bout commencer. Au départ, je ne savais absolument rien sur l'art de parler en public; il y avait
donc une chose que je pouvais y faire. J'ai lu sur
le sujet pour en apprendre plus long sur les
«secrets du métier».

Y a-t-il des peurs que vous aimeriez surmonter?
Si c'est le cas, commencez par vous tracer une première étape. Puis passez à la deuxième étape.

Deuxième étape: changez vos connaissances indirectes

Parler en public me terrifiait au point où je me disais
que, sur une échelle des peurs, la plupart des gens
placeraient ce supplice au-dessus de la mort! Combien ridicule! Mais combien vrai! Ce fait, véridique,
me réconfortait et je me disais: «Eh bien, je suis
parfaitement normal, je suis simplement comme
tout le monde!» J'en parlais à des gens simplement
pour qu'ils renforcent mon point de vue. J'aimais
qu'ils me disent à quel point parler en public les
terrifiait, que c'était un véritable cauchemar, etc. Je
me suis arrangé pour rassembler toute une foule de
données pour étayer ma conviction que parler en
public était une chose terrifiante, ce qui a fini par
renforcer la vision fixe que j'entretenais.

Je voulais pouvoir parler en public avec assurance, mais ma vision fixe du monde m'empê-
chait de faire ce que je voulais vraiment faire.

COMMENT S'EN SORTIR?

Déterminez la vision que vous devez avoir pour pouvoir faire ce que vous voulez faire. Puis mettez-vous à recueillir des faits pour étayer votre vision. Dans mon cas, par exemple, j'ai demandé à des gens habitués à faire des exposés comment ils composaient avec leur nervosité et quelle sensation ils éprouvaient lorsqu'ils faisaient un exposé particulièrement réussi. Lentement, mais sûrement, j'ai recueilli autant de données montrant qu'il est agréable de parler en public que j'en avais recueilli pour montrer le contraire. Et c'est ainsi que, peu à peu, je me suis convaincu qu'il n'était pas terrifiant de parler en public.

Troisième étape: modifiez votre histoire

Cette étape est peut-être la plus difficile parce qu'elle exige que vous reprogrammiez votre cerveau. Pendant très longtemps, vous vous êtes raconté une histoire pour vous justifier; vous ne pouviez pas faire telle ou telle chose parce que patati, patata... Si les deux premières étapes faisaient appel à des faits et à des connaissances indirectes, cette troisième étape vous oblige à travailler sur vous-même, ce qui est beaucoup plus compliqué.

Revenons à mon histoire...

Alors, j'avais lu toutes sortes de choses sur l'art de parler en public et je disposais de toutes sortes de faits attestant qu'il s'agissait d'une activité agréable, mais j'avais encore un scénario négatif qui me trottait dans la tête – la seule idée de prendre la parole en public me terrifiait totalement.

Vous savez ce qui arrive quand vous écoutez une chanson en boucle! Vous arrêtez la cassette et la chanson continue de vous trotter dans la tête! Elle vous reste dans la tête tellement long-temps que vous vous mettez à la fredonner, et elle continue de vous trotter dans la tête!

J'avais l'impression d'écouter une chanson en boucle. Une petite voix n'arrêtait pas de me dire: «Tu ne peux pas parler en public. Tu es trop nerveux, ça te met en sueur, tu en perds la voix et tu finis par avoir l'air complètement idiot!» Chaque fois que je pensais à cela, j'étais terrifié.

Pour surmonter ce qui vous fait peur, essayez de visualiser la situation, quelle qu'elle soit. Si vous êtes comme moi, vous ne verrez en pre-mier que les choses négatives. Dès que j'osais m'imaginer en train de parler devant un public, je me voyais en sueur, tout tremblant, en train de perdre la voix. Je me voyais me battre avec le rétroprojecteur; les gens me posaient des questions difficiles; je me sentais persécuté et, enfin, je finissais par me croire en pleine inquisi-tion espagnole.

Imaginez-vous toujours le pire? Avez-vous envie de baisser les bras en vous disant qu'il est beaucoup trop difficile de changer?

Permettez-moi de reprendre mon histoire. Comme je nourrissais une certaine vision depuis longtemps, il fallait que je la transforme lente-ment. Je devais commencer par me représenter calme et détendu; je devais cesser de m'imagi-ner nerveux et en sueur. Pendant très longtemps, c'est uniquement ce que j'ai fait. Je me suis exercé à me visualiser calme et détendu, rien de plus.

Une fois que j'ai pu m'imaginer calme et détendu, je suis passé à l'étape suivante: je me voyais en train de parler d'une voix forte et claire. Une fois cette étape bien maîtrisée, je suis passé à la suivante. À la fin, je pouvais m'asseoir et me visualiser en train de faire un exposé entier, un exposé qui me valait des applaudissements et des félicitations!

S'agit-il de balivernes? Absolument pas!

De récents progrès en imagerie du cerveau montrent comment tout cela s'explique scientifiquement. Des chercheurs à l'université de Plattsburgh et Carnegie Mellon[1] ont montré que, lorsque nous nous préparons à faire une tâche, nous activons notre cortex préfrontal – c'est-à-dire la portion de notre cerveau qui exécute les fonctions particulières qui nous font agir. Sans préparation, le cortex préfrontal ne s'active pas à l'avance. Or, plus le cortex préfrontal s'active longtemps à l'avance, mieux une personne exécute une tâche donnée. Par exemple, son cortex préfrontal devient particulièrement actif lorsqu'elle doit se préparer à surmonter une réaction habituelle. Stimulé, il amène le cerveau à se concentrer sur ce qui est sur le point de se produire; sans stimulation, il est moins utile: la personne reprend simplement ses mauvaises habitudes de toujours.

---

1. «How the brain gets ready to perform», exposé présenté à la 30e réunion de la Society of Neuroscience, New Orleans, novembre 2000, Cameron Carter, Angus McDonald, Stefan Ursu, Andy Stenger, Myeong Ho Sohn et John Anderson.

Sensé, non? Vos mauvaises habitudes sont des peurs dont vous vous servez inconsciemment depuis très longtemps.

De toute évidence, la dernière étape consiste à faire pour vrai ce que l'on redoute de faire. Cependant, comme nous en sommes encore à parler de vous trouver vous-même et de vous occuper des préparatifs nécessaires, laissons ce sujet de côté pour le moment. Nous y reviendrons dans la prochaine partie.

Examinons la bataille qui nous oppose à nous-mêmes.

Le guerrier spirituel

[...] un air pur, léger, clair, libre, sec, comme celui
qu'on respire sur les hauteurs où toute animalité
devient plus spirituelle et prend des ailes...
— NIETZSCHE

Il est relativement facile de se battre contre les autres – on peut voir l'ennemi, se concentrer sur lui, décider d'une stratégie et la mettre en œuvre. On ne peut en dire autant de la grande bataille, la bataille du guerrier spirituel, la bataille de soi contre soi.

Nous avons tous un côté sombre. Un côté que nous n'aimons pas beaucoup, un côté qui recèle de vilaines qualités comme l'envie, l'avarice et l'égoïsme. Vous vous souvenez de *La Guerre des étoiles*? En se battant contre Luke, Darth Vader le provoque en lui disant: «Sens ta colère, Luke, laisse le côté sombre prendre le dessus.»

Humm... Vous arrive-t-il de sentir votre côté sombre? Avez-vous l'impression que votre vilain génie sort de sa bouteille, submergé par la rage? Par la jalousie? Ce que vous ressentez dans ces moments est le pouvoir de votre émotion; vous en devenez l'esclave et vous le regrettez plus tard, une fois que vous avez retrouvé votre calme.

Ne préféreriez-vous pas composer plus efficacement avec ces sentiments qui vous submergent? Vous avez le choix: ou vous niez cette partie de vous-même et mettez beaucoup d'énergie à ne pas laisser sortir votre mauvais génie, ou vous reconnaissez l'absence de dualité, de séparation; il n'y a qu'un tout. Acceptez que votre côté sombre fasse partie de qui vous êtes.

Si vous y parvenez, vous pourrez commencer la bataille du guerrier spirituel. Votre côté sombre est la partie de vous-même où aucune lumière n'a encore pénétré. C'est la partie de vous qui vous procure le plus de potentiel de croissance.

Il est facile pour l'homme impotent de faire vœu de chasteté et pour le pauvre de renoncer à la richesse.
— BOUDDHA

Alors, par où faut-il commencer? Le secret consiste à réussir à faire un peu de lumière sur ce côté sombre de nous-mêmes. Et c'est ici que nos talents d'observateurs, que nous avons cultivés par la visualisation et la réflexion, deviennent précieux.

Nous devons apprendre à traquer tous les aspects de notre personnalité. Cela vous semble bizarre?

N'oubliez pas! Nous cherchons à trouver notre véritable personnalité afin de pouvoir réussir notre vie et réaliser nos possibilités futures. Or, si une seule partie de nous-mêmes est en déni, nous ne parviendrons jamais à être véritablement entiers. N'oubliez pas non plus que, dès que nous nous mettons à réagir aux choses, nous perdons notre pouvoir personnel: le pouvoir de créer de manière proactive ce que nous voulons vraiment.

Nous pouvons mettre à profit nos talents d'observateurs pour traquer notre personnalité, pour rassembler notre pouvoir personnel, lentement mais sûrement, afin d'en accumuler suffisamment pour confronter les pires aspects de notre nature.

Voyez les choses comme ceci: imaginez que vous traquez quelqu'un. (Ce n'est pas une chose que je vous recommande de faire, mais d'imaginer.) Premièrement, pourquoi traquez-vous cette personne? Eh bien, parce que vous voulez quelque chose. Deuxièmement, que faites-vous? Vous la suivez, épiez ses moindres gestes, recueillez de l'information sur ses habitudes et attendez le moment opportun pour lui tomber dessus.

Vous faites la même chose lorsque vous traquez votre personnalité. En réalité, vous cherchez à percer votre côté sombre, à le mater et à l'accepter. Vous le faites en observant soigneusement vos propres habitudes et scénarios et en attendant le moment opportun pour frapper.

Prenez la colère comme exemple. Disons que vous avez un tempérament très «soupe au lait», chose dont vous êtes conscient et qui vous embarrasse. Vous avez toujours nié ce problème. Malheureusement, la coupe est toujours sur le point de déborder et il vous arrive d'exploser, de perdre les pédales. Vous évitez donc les situations qui peuvent vous mettre en colère et, pour cette raison, vous avez peu d'amis et pas de vie sociale pour ainsi dire – ce qui est complètement contraire à ce que vous voulez vraiment.

Voyez-vous l'utilité de traquer votre personnalité? Voici un exemple de ce que vous pouvez faire: observez-vous et voyez ce qui vous met vraiment hors de vous. Commencez ensuite à confronter votre colère. Au début, choisissez des choses qui ne vous mettent que légèrement en colère. Disons qu'un collègue au travail ne se donne jamais la peine de remplacer le lait lorsque c'est à son tour de le faire. Vous allez vous préparer un café et vous constatez qu'il n'y a plus de lait. La colère vous submerge au point où votre main se met à trembler sur la poignée du frigo. Mais vous ne faites rien. Autrefois, vous auriez passé la journée de mauvaise humeur et vous auriez fait en sorte que tout le monde en subisse les conséquences; et vous vous seriez senti coupable en rentrant chez vous. Oubliez cette façon d'agir totalement «réactive» qui épuise votre énergie. Conservez votre énergie et vous conserverez votre pouvoir personnel pour faire face aux choses auxquelles vous voulez vraiment faire face. Conservez votre pouvoir personnel pour travailler à vous transformer.

Au lieu d'agir selon votre habitude, surveillez-vous simplement; concentrez-vous sur votre respiration et laissez les émotions vous envahir. Continuez à bien respirer tout en examinant votre colère et en prenant note de l'effet qu'elle a sur vous. Ne la retenez pas, mais ne l'écoutez pas non plus – laissez-la simplement passer. Vous constaterez qu'elle se résorbera graduellement jusqu'à un niveau où vous redeviendrez maître de vous-même. Dans le scénario précédent, le sourire aux lèvres, vous partiriez à la recherche de la personne ayant utilisé tout le lait pour lui donner une bonne raclée... euh, pardon, je veux dire pour lui demander d'aller acheter du lait.

Si vous agissez de la sorte, vous resterez maître de vous-même et de votre vie. Vous conserverez votre énergie pour faire ce qui vous tient à cœur au lieu de la gaspiller à faire des choses qui n'ont rien à voir avec ce que vous voulez. Allez-y doucement et commencez par vous attaquer à de petits détails avant de passer aux choses importantes. Lentement, vous transformerez votre colère, qui deviendra de l'affirmation de soi.

Vous pouvez faire le même exercice pour transformer vos autres défauts en qualités. Par exemple, si vous découvrez que vous vous démolissez constamment, prenez les mesures voulues pour cesser de vous dénigrer. Si vous êtes égoïste, prenez l'habitude de vous surveiller pour transformer votre égoïsme en autonomie, ce qui vous permettra d'aider les gens qui sont incapables de s'occuper d'eux-mêmes.

Si vous cessez de dépenser de l'énergie pour refouler votre côté sombre, vous constaterez que vous avez beaucoup plus d'énergie pour faire face aux choses auxquelles vous voulez vraiment faire face. Comme dans le cas des peurs dont nous avons traité dans le dernier chapitre...

L'inertie
paradigmatique

Voyons le scénario suivant: vous êtes au volant d'une voiture, en route vers un endroit où vous n'êtes jamais allé; un plan de la ville sur les genoux, la personne dans le siège du passager vous indique le chemin à suivre. Au moment où vous passez l'intersection, elle vous dit: «Tourne à droite, là!» C'est là de l'inertie paradigmatique. Vous avez dépassé l'intersection et devez rebrousser chemin.

Dites-vous que vous avez placé de l'énergie dans votre façon de vivre, dans votre façon de faire les choses. C'est pourquoi vous avez de la difficulté à changer: l'inertie de vos vieilles habitudes vous fait traverser l'intersection où vous auriez dû tourner.

Vous êtes comme le *Titanic* – surchargé de petits gouvernails. Il vous faut du temps pour changer de direction, ce qui signifie que vous risquez de vous écraser contre les icebergs sur votre chemin.

Que pouvez-vous y faire?

Reconnaissez ce fait. Acceptez qu'il vous faudra du temps pour changer de direction. Puis commencez à éliminer les choses qui vous poussent dans une direction que vous ne voulez pas prendre.

Dans *Être*, mon ouvrage précédent, je traitais de l'idée selon laquelle, à tout moment donné, notre vie est pleine. En conséquence, pour faire de la place à de nouvelles choses, il faut nécessairement commencer par en éliminer d'autres.

Je partageais autrefois une maison avec deux colocataires. À nous trois, nous avions beaucoup d'amis qui aimaient venir faire la fête chez nous. La maison était assez spacieuse et, surtout, il y avait un grand sous-sol où nous avions l'habitude de nous réunir. En plus des week-ends, nous nous réservions aussi le mardi soir pour faire la fête. Nous passions la soirée à boire, à chanter et à nous amuser jusqu'aux petites heures du matin – nous avions même écrit une chanson sur ces soirées du mardi. Elles étaient toujours très réussies. Je m'y amusais beaucoup, mais j'étais une loque pendant tout le reste de la semaine – je fonctionnais comme un automate au lieu de chercher à faire ce qui me tenait réellement à cœur. Vous voyez où je veux en venir? Le mardi soir provoquait chez moi une inertie paradigmatique qui me faisait prendre une direction que je ne voulais pas prendre. Je voyais toujours l'intersection, mais je n'arrivais jamais à tourner à temps.

Souffrez-vous d'inertie paradigmatique? Si c'est le cas, déterminez-en l'origine et préparez-vous aux renoncements nécessaires pour faire de la place à quelque chose de nouveau...

NOTES

Il y a des choses que je dois laisser aller pour faire de la place à quelque chose de nouveau...

- Cours Yoha groupe
- Bijoucé-(vente)
- Cour Pilates groupe

- LIVRES -
- Vêtements trop "sévère"
  "jeune"
- Bâtrer golf

L'intention stratégique

Si vous voulez réaliser vos rêves, vous devez vous doter d'une stratégie. Autrement, tout ce que vous devez faire pour changer vous paraîtra trop énorme, trop difficile, trop dérangeant...

Pensez à une partie de Monopoly. Pour jouer au Monopoly, il faut avoir une stratégie. La plupart des gens en ont une. Certains n'achètent rien et accumulent l'argent comptant, tandis que d'autres achètent tout ce qu'ils peuvent dans l'espoir que les autres joueurs se ruineront à leur payer des loyers. D'autres encore achètent uniquement des ensembles de terrains ou des services publics. Une personne qui a une stratégie est une personne qui a des intentions claires. Une stratégie vous permettra de connaître tout ce que vous devez faire le long du chemin. Sans une stratégie, vous irez à la dérive, d'un endroit à un autre, que vous achetiez ou que vous n'achetiez pas!

Il en va de même dans la vie. Si vous jouez le jeu de la vie selon une stratégie, vous connaîtrez toutes les petites étapes que vous devez franchir le long du chemin. Vous saurez aussi ce que vous cherchez à accomplir.

Comment vous y prendrez-vous? Décompo-
sez le tout en étapes.

Disons que vous décidez que vous voulez
vivre dans une maison au bord de la mer et cultiver un potager. En ce moment, vous vivez dans
un petit appartement du centre-ville. Vous avez
besoin d'une stratégie. Savez-vous ce que disent
la plupart des gens qui caressent le même rêve?
«Un jour, quand j'aurai assez d'argent, j'achèterai
une maison au bord de la mer.» Entre-temps, ils
dépensent leur argent pour s'acheter des vêtements, des voitures et toutes sortes de choses
pour oublier qu'ils sont malheureux. Puis ils
restent là à attendre un miracle, et leur rêve
d'une maison au bord de la mer n'est jamais
qu'un autre désir inassouvi.

Si vous voulez aller vivre au bord de la mer,
sachez que vous devrez faire d'innombrables pas
pour réaliser votre rêve.

> *Le barreau d'une échelle n'a jamais été conçu*
> *pour que le pied s'y attarde, mais seulement*
> *pour qu'il s'y pose le temps de permettre*
> *à l'autre pied de monter plus haut.*
> — THOMAS HUXLEY (traduction libre)

Avez-vous une vision de l'échelle qui s'étire
devant vous et qui vous relie à votre futur idéal?

Si vous n'en avez pas, essayez ceci: retirez-
vous dans un endroit tranquille et tenez-vous
dans votre futur idéal. Demandez-vous: «Qu'est-

ce que j'ai fait pour arriver ici?» La réponse pourrait être très éclairante. Elle vous procurera certainement toute une foule d'idées parmi lesquelles choisir. Notez-les sur papier. Puis commencez à les décomposer selon un calendrier.

Quelle est la première étape sur l'échelle? Qu'est-ce qui vient ensuite?

Une fois que vous avez votre liste, dessinez votre échelle et notez chaque étape sur votre dessin. Accrochez-le au mur. Montez sur le premier barreau de votre échelle et passez à l'action.

Le pouvoir de la patience et de la persévérance

Rien dans le monde ne peut remplacer la persévérance :
Ni le talent : rien de plus courant que les ratés
de grand talent. Ni le génie : proverbialement méconnu.
Ni l'instruction : le monde n'est-il pas plein
de clochards instruits ? La persévérance et
la détermination sont omnipotentes.
— CALVIN COOLIDGE (traduction libre)

J'ai assisté récemment à un dîner où le conférencier invité était le légendaire entraîneur de football australien Kevin Sheedy. Son équipe, Essendon, qui a été saluée comme l'équipe du siècle, venait juste de perdre la grande finale. Devant un verre d'excellent vin rouge, je prenais un malin plaisir à le taquiner au sujet de cette défaite. Au bout d'un moment, il s'est tourné vers moi et m'a dit carrément : «Allez vous faire... et parlez à quelques jeunes entraîneurs qui n'ont jamais mené leur équipe à une grande finale. J'ai mené mon équipe à 11 grandes finales et si nous ne les avons pas toutes remportées,

je puis vous dire une chose : quand on sait persévérer, on finit par gagner ! »

Hummm... Il m'a remis à ma place, non ?

Cependant, ce qu'il a dit est tellement vrai ! Il
faut du temps pour accomplir de grandes choses
et il est facile d'abandonner en cours de route. La
chose la plus difficile est de chercher patiemment
et avec persévérance à obtenir ce que l'on veut.

Comment faut-il s'y prendre ?

Reconnaissez que vous ne pouvez pas vous battre
contre le monde. La méditation vous aidera à garder votre calme. Vos croyances et votre foi en vous-
même vous aideront à persévérer. Le long du
chemin, vous essuierez des revers, mais, comme le
dit Paulo Coelho dans un livre intitulé *L'Alchimiste* :
« Ne mourez pas de soif en vue des palmiers ! »

Si vous faites ce que vous aimez faire en suivant vos passions, votre voyage sera votre desti-
nation. Cependant, vous devez être du voyage,
et votre but doit vous habiter en permanence, ce
qui m'amène à traiter de « l'occasion à saisir ».

Des moments chargés de destin

Guerriers ou non, nous avons tous
un centimètre cube de chance qui,
de temps en temps, nous tombe
soudainement sous les yeux.
Le guerrier se distingue de l'homme moyen
parce qu'il en est conscient,
l'une de ses tâches
étant de demeurer vigilant et
d'attendre volontairement.
Dès qu'un centimètre cube de chance apparaît,
il a la rapidité et l'adresse pour le saisir.
— CARLOS CASTANEDA (traduction libre)

Même s'il existe de nombreuses façons de regarder le monde, nous cherchons tous des certitudes qui nous apporteront une certaine tranquillité d'esprit. Dans toute civilisation, les gens décident collectivement du sens qu'ils donneront au monde, puis ils agissent de manière à renforcer constamment cette vision du monde.

Croyant que la Terre était plate, certaines civilisations évitaient de voyager vers l'horizon de crainte de tomber dans le vide. Plus récemment, des tribus des jungles d'Amérique du Sud construisaient encore des sanctuaires pour rendre hommage aux esprits et aux dieux qui gouvernent le monde et décident des bons et des mauvais moments. Convaincus que les esprits habitent des endroits particuliers, certains peuples autochtones d'Australie considèrent pour leur part qu'il y a des endroits sacrés où seuls de rares personnes peuvent se rendre.

Dans la civilisation occidentale, nous considérons que le temps est linéaire. Il peut être mesuré et divisé en heures, en minutes et en jours. Nous nous servons du temps comme nous nous servons d'une règle à calcul. Il remonte dans le passé et s'étire devant nous.

Mais combien de fois vous est-il arrivé d'avoir l'impression que le temps se comprimait et passait trop vite ou, au contraire, qu'il s'écoulait tellement lentement que vous auriez pu le toucher? Les victimes d'accidents de voiture graves disent souvent qu'elles ont eu l'impression que le temps s'était arrêté et qu'elles avaient vu ce qui était sur le point d'arriver.

En fait, nous agissons selon nos perceptions. Le point de vue collectif d'une civilisation renforce une perception particulière du monde. Même si vous saviez en votre for intérieur que le temps s'est arrêté, votre esprit logique, fort de la vérité en laquelle on vous a appris à croire, vous dirait le contraire.

Mais n'existe-t-il pas à tout moment un futur possible, une possibilité d'un destin différent?

Le temps serait-il non pas singulier et linéaire, mais une série de chemins qui s'entrelacent?

À tout moment, vous avez choisi des chemins à suivre. Repensez à ce que vous avez vécu. Quels ont été les moments cruciaux dans votre vie? À quels moments avez-vous pris des décisions qui ont changé son cours? Par exemple, avez-vous décidé de mettre un terme à une relation amoureuse de longue date? Avez-vous quitté une grande entreprise pour aller travailler au sein d'un organisme de bienfaisance? Avez-vous décidé de donner la priorité à vos croyances et d'orienter votre vie en conséquence?

Voyez-vous ce que je veux dire?

Malheureusement, les différents chemins que nous pouvons prendre sont loin les uns des autres, ce qui nous oblige à rester sur le chemin où nous sommes. Mais est-ce bien le cas? Êtes-vous condamné à l'inertie paradigmatique? Imaginez le scénario suivant: vous êtes à bord d'un train roulant à vive allure et vous ne pouvez pas descendre avant qu'il ne ralentisse pour prendre un virage. Or, les chemins passent parfois dangereusement près les uns des autres. En fait, si vous voyiez combien ils sont proches, vous pourriez sauter sur un chemin différent et vous ouvrir un nouvel avenir. Ce sont là les moments cruciaux, les points de jonction dans notre vie.

Réfléchissez à cette idée pendant un moment et imaginez un poisson dans une rivière au débit rapide. Ce poisson ne consomme qu'un type particulier de nourriture et, comme il se déplace très rapidement, il doit demeurer vigilant. Il ne s'occupe pas des miettes et des poissons qui passent dans son champ de vision. Au lieu de cela, il attend exactement ce qu'il veut. Il attend patiemment jusqu'à ce que le moment arrive et, lorsqu'il arrive, il le saisit et saute sur sa proie.

Maintenant, dites-vous que la vie est exactement comme cela, qu'elle est une rivière qui nous entraîne à toute vitesse. De nombreuses choses nous passent devant les yeux, mais seules quelques-unes valent la peine d'être explorées. Quand on ne sait pas ce que l'on veut, on est constamment attiré par une chose, puis par une autre, mais on n'a jamais ce qu'on veut. Lorsque les choses que vous obtenez ne correspondent pas à ce qu'il vous faut, elles finissent par vous affaiblir et vous rendre de moins en moins apte à trouver la nourriture dont vous avez réellement besoin. Lentement, vous vous étiolez.

Mais, car il y a un gros MAIS, vous pouvez changer tout cela! Si vous savez ce que vous voulez et si vous êtes patient, vous descendrez la rivière comme le poisson et vous saurez attendre que l'occasion se présente. Et, lorsqu'elle se présentera, vous saisirez le moment sans hésitation.

Il y a dans la vie des moments opportuns et des points de jonction dans le temps. Profitez-en! En sachant ce que l'on veut, on peut saisir chaque occasion de devenir un peu plus fort et un peu plus vigilant. Sachez attendre patiemment le moment crucial, c'est-à-dire le point de jonction qui vous mènera vers un avenir différent. Soyez à l'affût de votre centimètre cube de chance, car il ne manquera pas de se présenter!

Il y a des moments chargés de destin. Ces moments sont des lucarnes qui s'ouvrent l'espace d'un instant. Si vous n'en profitez pas, elles se referment sous votre nez. Ne serait-il pas dommage que vous les ratiez?

Les piliers

*Contre les piliers qui soutenaient le toit reposaient les
armes de bronze que le vieillard portait dans sa
jeunesse, alors qu'il suivait les rois dans les villes, où ils
allaient sur leurs chars reprendre des filles de Kymé que
des héros avaient enlevées.*
— ANATOLE FRANCE

Nous sommes à la fin de la première partie
de ce livre. J'espère que vous l'avez trouvée utile
jusqu'ici. Je sais que c'est là beaucoup d'information à assimiler et si, comme moi, vous aimez avoir
une vue d'ensemble, vous apprécierez sans doute
un diagramme. Je sais que les diagrammes sont
plutôt « arides », mais ils aident parfois à remettre
les choses dans leur juste perspective. Voici donc
un résumé sous forme de diagramme :

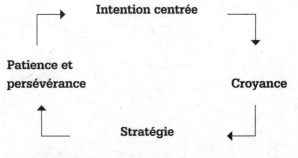

Intention centrée

**Patience et
persévérance**

Croyance

Stratégie

Ce sont les piliers qui garantissent le succès dans l'action. Délimitez votre intention, développez une croyance pour l'étayer, dotez-vous d'une stratégie, puis mettez cette stratégie en œuvre avec patience et persévérance. Chaque réussite vous motivera à persévérer et à aller plus loin ¬ mais je vais trop vite. Parlons maintenant de bonheur.

AGIR SUR LE BONHEUR

Agir d'où ?

Les anges peuvent voler
parce qu'ils se prennent à la légère.
— ANON (traduction libre)

Nous avons beaucoup parlé de bonheur dans *Être,* et je ne me répéterai pas ici. Cependant, je dirai que, pour être heureux, vous devez découvrir votre véritable personnalité, faire ce que vous voulez vraiment faire et être qui vous voulez vraiment être. En vivant une vie authentique, vous vivrez vos passions et vous suivrez le flot de la vie en en savourant chaque instant.

En premier lieu, vous devez cesser de vous condamner! Si nos rêves et nos idéaux sont des choses vers lesquelles nous pouvons tendre avec bonheur, il arrive aussi qu'ils deviennent des motifs pour nous condamner nous-mêmes.

Il n'y a pas très longtemps, après un séjour en Afrique, je suis revenu en Australie avec ce grand rêve de fonder un centre de retraite où les gens pourraient venir réfléchir à toutes sortes de choses. Je vivais dans une maison fantastique sur la plage, très au nord dans le Queensland. À mes yeux, c'était l'endroit idéal pour un centre de retraite. J'ai donc invité diverses personnes de ma connaissance, notamment des guérisseurs sérieux, à venir diriger quelques ateliers.

Dès qu'ils arrivaient, les gens se rendaient compte que mon domaine était un véritable paradis. De la maison, on voit la mer à travers quelques palmiers. Devant, la plage est pratiquement déserte sur une distance d'à peu près deux kilomètres et, derrière, on aperçoit des montagnes couvertes de forêts luxuriantes. C'est comme un rêve.

Malheureusement, l'endroit s'est révélé très peu propice à la conception et à la préparation d'ateliers sérieux. Dans ce coin de paradis, les gens voulaient seulement prendre du soleil, marcher sur la plage, se baigner dans la mer, dîner sur la terrasse, bien boire et s'amuser en ne pensant à rien.

Mais j'étais là avec mon rêve...

J'étais diablement frustré que les choses ne se passent pas comme je le voulais et j'ai passé beaucoup de temps à me le reprocher. Puis, grâce à Dieu, un soir que nous marchions sur la plage au coucher du soleil, une amie s'est tournée vers moi et m'a dit: «Ne laisse pas tes rêves te faire l'effet d'une condamnation! Il n'y a rien de mal à y renoncer. Si ça ne marche pas ici, ça veut simplement dire que tu n'as pas encore trouvé le bon endroit!»

Vous saisissez? N'oubliez pas que c'est un voyage léger, et non un voyage lourd. Vous pouvez choisir la façon dont vous réagissez aux choses.

Hozho

Selon le concept fondamental de la métaphysique du peuple navajo, nous devons marcher en harmonie avec la terre et avec nous-mêmes pour ne faire de tort ni à la terre ni à nous-mêmes. Le mot «hozho» décrit cet équilibre, qui constitue un élément clé du bonheur!

Le rythme effréné du monde dans lequel nous vivons peut facilement nous faire perdre l'équilibre. Voyez le topo: vous avez un gros projet à terminer et vous vous dites que vous allez prendre les bouchées doubles pendant cette semaine seulement pour en venir à bout. Une fois votre projet terminé, votre patron est tellement content qu'il vous félicite et vous confie immédiatement un autre projet important. Vous travaillez de longues heures et vous ne tardez pas à vous rendre compte que vous n'avez plus le temps de faire de l'exercice et seulement de rares moments pour voir des amis. Mais il y a le travail, et la reconnaissance qui l'accompagne.

Ne vous laissez pas entraîner dans le ghetto de velours.

C'est là un dicton que j'ai entendu à New York. Il paraît qu'il a été inventé par un groupe d'avocats qui travaillent comme des fous et qui gagnent des sommes faramineuses. Ils s'achètent des vêtements très chers, des voitures de luxe et d'immenses appartements, ils sont membres de clubs exclusifs et ne fréquentent que les restaurants à la mode, MAIS ils sont malheureux...

Le ghetto de velours les attire, puis il les emprisonne dans une façon de vivre dont ils ne savent pas comment se sortir.

Êtes-vous dans un ghetto de velours?

Il n'y a rien de mal à avoir de beaux vêtements, des voitures dispendieuses et des richesses de toutes sortes. Le secret est dans l'équilibre. Pour être heureux, vous n'avez pas besoin d'être pauvre et de manger uniquement des haricots mungo – la personne qui a dit ça n'a sans doute jamais eu beaucoup d'argent ni beaucoup d'imagination! Mais l'argent n'achète pas le bonheur.

Le secret réside dans l'équilibre dans tous les domaines de la vie – mental, émotionnel, physique et spirituel. C'est la voie du milieu que vous devez rechercher, l'équilibre entre la logique et l'émotion, le travail et les loisirs, les efforts et le plaisir.

Mais comment faire?

Premièrement, prenez la décision de mener une vie équilibrée. Je parie que, lorsque vous avez visualisé la personne que vous voudriez être idéalement, vous ne vous imaginiez pas en train de travailler tout le temps, sans jamais avoir le temps de voir vos amis.

Vous devez savoir à quel moment vous n'êtes plus en équilibre. Encore une fois, c'est ici que votre pouvoir d'observation vous sera utile. Mettez-vous à l'écoute de vos émotions lorsque vous profitez de quelques moments de tranquillité. Ne les ignorez pas! Au contraire, tenez-vous prêt à agir sur elles.

Si vous n'arrêtez jamais de faire des efforts, prenez soin de vous réserver du temps pour respirer le parfum des roses!

Les autochtones d'Amérique disent que les Occidentaux comprennent tout de travers – notre cerveau reçoit, notre esprit analyse, nos émotions nous tiennent et notre corps donne. Ils croient que cela cause un déséquilibre parce que nous nous limitons à ce que nous pouvons comprendre logiquement. Puis nous essayons de sentir quelle est la bonne voie. Nous nous raccrochons à nos émotions parce que nous avons peur et cela nous amène à nous refermer; puis nous essayons de montrer notre amour et notre affection en donnant des choses physiques en cadeau.

Ils disent que nous devrions nous ouvrir et laisser notre esprit recevoir, afin de pouvoir voir toutes les possibilités. Puis nous devrions laisser notre cerveau analyser, tandis que notre corps devrait nous tenir. Enfin, nous devrions nous servir de nos émotions pour donner.

Je sais que c'est une façon différente de regarder le monde, mais réfléchissez-y. Ne trouvez-vous pas que c'est sensé?

Si vous êtes en équilibre, vous pouvez être la source.

Soyez la source

L'avenir appartient à ceux qui croient
en la beauté de leurs rêves.
— ELEANOR ROOSEVELT (traduction libre)

Si vous voulez être heureux, vous ne pouvez pas attendre que les autres vous apportent le bonheur. Nous sommes heureux lorsque nous faisons ce que nous voulons faire, avec intégrité, et en étant qui nous voulons être. Cela signifie que vous devez être la source de votre propre vision et de vos propres valeurs. En sachant vous approprier votre vision et en assumer la responsabilité, vous pourrez aussi être la source de votre propre bonheur.

Avez-vous déjà rêvé de faire quelque chose d'extraordinaire, sans toutefois avoir la certitude de pouvoir y arriver ? Avez-vous confié votre rêve à votre famille et à vos amis dans l'espoir qu'ils puissent croire en vous et vous convaincre que vous êtes à la hauteur ?

En agissant de la sorte, vous ne vous appropriez pas votre rêve, et vous n'en assumez pas la responsabilité. En agissant de la sorte, vous vous rendez vulnérable à la critique des gens que votre rêve menace – ces gens qui avaient des rêves, mais qui ont fait des compromis pour enfin y renoncer. Ce sont ces personnes qui vous diront pourquoi vous ne pouvez pas vivre votre rêve, puis qui essaieront très fort de vous amener à y renoncer.

Une telle situation a de quoi bouleverser. Mais voyez les choses d'un tout autre point de vue. Ces gens considèrent souvent que le monde est dur et qu'on ne peut pas toujours avoir ce que l'on veut. Et voilà que vous leur dites que vous allez faire quelque chose d'absolument incroyable. S'ils croient en vous et vous appuient, ils invalident leur propre conception de la vie. Ils renient les gestes qu'ils ont faits dans le passé, gestes qui les ont amenés à renoncer à leurs rêves. Ils admettent qu'ils ont abandonné trop tôt, et qu'ils ont échoué. Si vous cherchez du soutien auprès des autres pour réaliser votre rêve, ne vous étonnez pas si vous vous heurtez à la colère de certains.

Vous ne pouvez pas vous attendre à ce que les autres manifestent de l'enthousiasme pour votre vision si vous n'en manifestez pas vous-même. C'est la simple vérité et c'est pourquoi vous devez faire tout le travail préparatoire. Réfléchissez à l'avenir et faites de la visualisation pour voir s'il vous va!

Si vous avez visualisé vos peurs dans le but de les surmonter, vous connaissez les SENTIMENTS que votre vision vous inspire. Or cela est d'une importance capitale – car les émotions sont le langage de la création. Nos humeurs sont influencées par nos rapports avec les choses et c'est ici que l'interaction devient la clé.

Permettez-moi de m'expliquer. Si vous alliez vous cacher dans une hutte quelque part et si vous faisiez tout le travail préparatoire à la réalisation de votre vision, vous auriez une idée très nette de ce que vous voulez; votre intention serait claire; vous y croiriez et vous feriez face à vos peurs. Dans un endroit isolé, vous seriez la véritable source. Vous ne seriez confronté à aucun autre point de vue que le vôtre.

Malheureusement, la vie à notre époque est bien différente de cela. Vous devez interagir avec les autres et vous devez faire face à différents points de vue, avec lesquels vous n'êtes pas nécessairement d'accord. Cela signifie que, en ce qui concerne nos interactions avec les autres, nos réactions sont d'une importance capitale.

Si vous décidez d'être la source de votre vision et de vos valeurs en vous les appropriant et en en assumant la responsabilité, une chose extraordinaire se produira. En prenant consciemment cette décision, vous changerez votre relation au monde. Vous modifierez votre façon d'être, ce qui vous ouvrira d'autres possibilités.

Au lieu de jouer au ping-pong et de constamment rebondir d'une vision à une autre, toujours en mode réactif, toujours sous l'emprise de l'influence des autres, vous deviendrez plus stable, vous aurez plus d'assurance et vous serez mieux en mesure de soutenir non seulement votre vision, mais aussi la vision d'autres personnes.

Il y a certains trucs pour y arriver, et nous les examinerons dans un moment. Mais parlons d'abord du concept de karma.

Capitaine Karma et la police du dharma

Tant que vous rabaissez quelqu'un,
vous rabaissez aussi une partie de vous-même,
ce qui vous empêche d'atteindre des sommets,
comme vous le pourriez autrement.
— MARIAN ANDERSON (traduction libre)

Le karma est un concept intéressant que l'on retrouve sous une forme ou une autre dans presque toutes les religions et tous les enseignements spirituels. Le karma lui-même est simplement l'énergie qui accompagne une action. Or, vous devez savoir que l'énergie que vous investissez dans une action, bonne ou mauvaise, vous revient inévitablement. Pour les chrétiens, par exemple, cela se résume à dire: «On récolte ce que l'on sème.» En physique, l'une des lois fondamentales stipule que l'énergie ne peut être détruite. Enfin, les bouddhistes croient que le bon karma se transmet d'une vie à l'autre et que les êtres les plus illuminés choisissent souvent une vie remplie de défis, estimant qu'un tel choix leur réserve de plus grandes possibilités de croissance spirituelle.

Ainsi, du point de vue du bonheur, le karma est fondamental, et les méandres du karma ont un effet profond sur notre vie. Notre destinée est déterminée par la totalité de nos actions passées. Pensez, par exemple, à une personne qui a renoncé à son rêve après avoir fait des compromis – à une personne qui s'est contentée d'une vie qui ne la rendait pas heureuse. Imaginez maintenant que vous lui faites part de la vision extraordinaire qui vous anime. Comment réagirait-elle? Elle vous démolirait et vous repartiriez tout penaud. Cependant, malgré son attitude «éteignoir», une petite partie d'elle-même revivrait l'époque où elle portait de grands rêves en son cœur. Et, comme qui se ressemble s'assemble, elle n'hésiterait pas à en parler à quelque ami partageant ses idées. Elle mentionnerait votre nom et lui raconterait votre histoire. Et que se passerait-il? Pendant un moment, ces deux personnes se remémoreraient l'époque où elles avaient des rêves. Puis elles démoliraient votre rêve en arguant qu'il est impossible, ce qui renforcerait leur vision commune selon laquelle le monde est un endroit impitoyable où les rêves sont ce qu'ils sont, des rêves, et où la réalité est une corvée. Leurs propres rêves resteraient en sécurité, ré-embouteillés et refoulés, et leur vision du monde finirait de les convaincre, presque entièrement, mais pas tout à fait, que leur façon de vivre est la seule façon de vivre!

Contrairement aux deux personnes ci-dessus, vous êtes devenu, grâce à la réflexion, à la méditation et à la visualisation, la source de votre vision et de vos valeurs; vous vivez au lieu de réagir. Et vous en récoltez les bienfaits: vous constatez que vous attirez des gens qui voient le monde comme vous, c'est-à-dire comme un endroit où tout est possible. En fait, une fois que vous aurez changé votre relation au monde, vous rencontrerez de moins en moins de gens portés à démolir votre rêve et vous vous associerez davantage aux gens qui cherchent à réaliser leurs rêves. Sachez que le karma est bien réel et que, pour en profiter, le secret consiste à être la source.

Cependant, vous devez vous méfier de la police du dharma! Permettez-moi de m'expliquer. Dans le bouddhisme, il y a trois joyaux dans lesquels on peut trouver refuge – le Bouddha, ou plus précisément la nature du Bouddha; le dharma, ou les enseignements spirituels; et le sanga, ou la communauté spirituelle.

J'ai entendu parler de «police du dharma» pour la première fois il y a quelques années, pendant une retraite de méditation. C'était le genre de retraite où il faut se lever très tôt le matin et où il y a toutes sortes de règles à suivre. Naturellement, de nombreuses personnes ne se gênaient pas pour enfreindre les règles, tandis qu'il y en avait d'autres qui prenaient un malin plaisir à surveiller les contrevenants. Ces gens n'étaient pas des maîtres, mais de simples bénévoles qui se faisaient un plaisir d'attraper les coupables, d'où l'expression «police du dharma».

Si je parle de «police du dharma», c'est parce que j'ai l'impression qu'il y a plein de polices du dharma dans tous les domaines de la vie. Ces gens se donnent des airs de saints et prennent un vilain plaisir à attraper les autres pour les remettre à leur place.

Ce sont souvent des gens qui ont fait seulement un peu de travail sur eux-mêmes, mais qui ont la conviction de tout savoir et même de pouvoir aider les autres à se prendre en main. En fait, ils se permettent de faire des remontrances aux autres en leur crachant dessus de très haut!

Connaissez-vous des gens de ce genre?

J'en ai rencontré bon nombre au cours de ma vie et je dirais qu'ils souffrent surtout de «fierté spirituelle». Ils sont convaincus d'avoir raison. Cependant, j'ai découvert au fil des ans que, plus souvent qu'autrement, ce sont eux qui ont un problème et non le contraire!

Comme je l'ai dit, ces gens ont fait suffisamment de travail spirituel pour savoir comment ils devraient agir. Cependant, ils constatent habituellement qu'il y a une partie de leur personnalité qui leur donne du fil à retordre et, au lieu de se pardonner cette lacune, ils en éprouvent de la colère, qu'ils redirigent vers les autres. Et c'est ainsi qu'ils deviennent des membres actifs de la police du dharma.

Permettez-moi de vous raconter l'anecdote suivante à titre d'exemple. Il y a quelques années, j'ai rencontré une femme qui me semblait vraiment saine et équilibrée. Elle dégageait une énergie extraordinairement puissante et savait entraîner les autres dans de passionnantes conversations sur des questions spirituelles. Lorsque j'ai appris à mieux la connaître, cependant, j'ai découvert qu'il y avait un aspect de sa vie qui était totalement hors de contrôle. Autrement dit, il lui fallait un ou deux pétards de marijuana à la fin de la journée pour ne pas s'effondrer. Naturellement, elle refusait de l'admettre, mais sa dépendance lui causait beaucoup d'anxiété, qu'elle évacuait en se mêlant de dire à tous et à chacun ce qu'ils devaient faire pour travailler sur eux-mêmes. Comme elle pouvait détruire en un instant de colère tout ce qu'elle avait fait de bien, les gens se sont mis à se méfier d'elle et à l'éviter, ce qui l'a rendue encore plus distante et encore plus dépendante de sa cigarette de mari à la fin de la journée. Elle perpétuait le cercle vicieux dans lequel elle était coincée!

Êtes-vous un membre en règle de la police du dharma?

Si c'est le cas, prenez un moment pour réfléchir aux valeurs que vous pratiquez. Il vaut beaucoup mieux faire preuve de compassion que de porter des jugements. Par exemple, si vous êtes avec une personne qui vous reproche constamment ce que vous faites de travers, sachez que cette personne nuit réellement à votre bonheur. La police du dharma est constamment en quête d'une querelle, et la première chose que vous devez faire est de cesser de réagir.

Une attitude positive
à toute épreuve

Les endroits que vous fréquentez, les choses que vous faites et les gens que vous rencontrez ont un effet sur vous. Cet effet est bon, mauvais ou neutre. Or, si vous reconnaissez l'existence de cet effet, vous pourrez y faire quelque chose.

Imaginez un monde rempli d'énergie pure : il y a de l'énergie partout et chaque personne a sa propre énergie.

Maintenant, imaginez que vous êtes vous-même une boule d'énergie. Dès que vous bougez, vous récoltez de l'énergie ou vous en dépensez. Vous mettez de l'énergie dans tout ce que vous faites et chacune de vos interactions avec une autre personne entraîne un échange d'énergie entre vous.

Mais comment savoir si l'énergie qui circule autour de vous est bonne ou mauvaise ? Et comment savoir si elle vous convient ? Comment savoir si elle correspond à ce que vous voulez ?

Je suis sûr qu'il y a des endroits où vous vous sentez bien et d'autres où vous vous sentez très mal à l'aise. Pour être heureux, sachez privilégier les endroits où vous vous sentez bien et évitez les endroits qui vous rendent malheureux. Pour cela, cependant, vous devrez vous mettre à l'écoute de vous-même et de votre voix intérieure. Vous devrez déterminer où vous vous sentez le mieux, assumer la responsabilité de vos rêves et passer à l'action. Selon vos rêves et les étapes à franchir pour les concrétiser, vous devrez peut-être aussi vous résigner à passer par des endroits fort peu agréables pour vous rendre là où vous vous sentez bien.

Les gens sont bien semblables aux lieux. Par exemple, je suis certain qu'il y a dans votre vie des gens qui drainent votre énergie. Ils vous fréquentent uniquement pour parler d'eux-mêmes et de tous leurs petits drames. Ce sont des vautours qui vous volent votre énergie et finissent par l'épuiser.

Que pouvez-vous y faire ?

Premièrement, restez vigilant. Vous devez être à l'écoute de vous-même pour savoir ce qui vous arrive.

Profitez de vos séances de méditation matinales pour vous blinder dans une attitude positive à toute épreuve. Pas difficile et très utile ! Une fois votre esprit calmé, imaginez que vous êtes à l'intérieur d'une sphère d'énergie. Imaginez ensuite que cette sphère d'énergie se remplit d'une lumière blanche et que vous en rendez les contours extérieurs à l'épreuve de tout ce qui n'est pas positif. Votre intention est de faire en sorte que seule de l'énergie positive puisse pénétrer dans votre sphère ou en sortir.

Voici ce que je veux dire. Si vous vous aventurez dans le monde et rencontrez des vautours, c'est-à-dire des voleurs d'énergie, ne vous laissez pas prendre! Ne réagissez pas! Demandez-vous plutôt ce qui se passe dans votre sphère d'énergie. Y pénètre-t-il de l'énergie positive? En sort-il de l'énergie positive?

Si vous vous rendez compte que de l'énergie négative pénètre dans votre sphère, vous devez vous imaginer en train de la rendre impénétrable; vous devez sentir l'énergie négative qui se heurte contre ses parois. De même, si vous sentez que la sphère qui vous entoure dégage de l'énergie empreinte de colère contre une personne, vous devez renverser le courant. Cessez de projeter ce sentiment; votre colère vise une personne en détresse, qui a davantage besoin que vous lui envoyiez de l'énergie positive.

Si vous adoptez une attitude positive à toute épreuve, vous verrez que les gens ne tarderont pas à s'apercevoir que vous ne réagissez plus comme ils le voudraient. Si une personne n'obtient plus de vous la réaction attendue, elle passera probablement à une tactique plus raffinée et jouera la carte de la colère ou des émotions. Elle voudra que vous réagissiez comme ELLE le veut, afin de vous prendre de l'énergie – NE VOUS LAISSEZ PAS PRENDRE. Dans de tels cas, gardez votre calme et restez conscient de votre sphère d'énergie. Ne confondez pas les choses. Laissez l'autre parler, mais n'adhérez pas à ses propos!

Traitez les endroits de la même façon. Si vous savez que vous devez vous rendre dans un endroit qui épuise votre énergie, préparez-vous en conséquence. Pensez à votre sphère d'énergie imaginaire et évoquez-la pour éviter que l'endroit ne vous draine votre énergie.

Sachez cependant qu'il faut beaucoup de pouvoir personnel pour maintenir une attitude qui génère uniquement de l'énergie positive. Reconnaissez-le, soyez ferme et dotez-vous de tout le pouvoir personnel dont vous avez besoin. Dites-vous que le secret réside dans l'équilibre. Autrement dit, mettez-vous en forme mentalement, émotionnellement, physiquement et spirituellement. Travaillez sérieusement à réaliser vos rêves et à être la personne que vous êtes réellement. Consacrez le temps qu'il faut à vos séances de méditation matinales. Consacrez le temps qu'il faut à maintenir votre énergie afin d'être la source de votre vision et de vos valeurs. Prenez le temps de fréquenter des endroits qui vous redonnent de l'énergie.

Enfin, vos faits et gestes présents et passés ont aussi un effet important sur votre énergie. Permettez-moi de m'expliquer. Disons que nous mettons de l'énergie dans tout ce que nous faisons et qu'en terminant ce que nous entreprenons, nous permettons au flux d'énergie d'arriver à terme. Autrement dit, nous permettons à la « chose » que nous faisions d'exister par elle-même. Lorsque nous ne menons pas une chose à terme, le flux d'énergie, qui n'est pas interrompu, continue à nous prendre de notre énergie.

Il y a de nombreuses années, j'ai écrit une œuvre de fiction. À ce moment-là, c'était le projet d'écriture le plus important que j'aie entrepris et je trouvais mon livre super. J'y avais consacré énormément d'énergie et de temps, et je voulais vraiment le voir publié. Je l'ai montré à plus de 20 éditeurs, qui m'ont tous dit que c'était un bon manuscrit, mais qu'il avait encore besoin de beaucoup de travail. Aucun d'entre eux, cependant, ne pouvait me dire exactement ce qu'il fallait que je travaille. Me sentant frustré et déprimé, j'ai mis mon manuscrit de côté et j'ai essayé de l'oublier. À tout bout de champ, cependant, je ne pouvais m'empêcher d'y repenser et ça me chicotait. Le flux d'énergie qui me connectait à ce livre était toujours là et il me drainait de l'énergie. J'ai fini par reconnaître ce qui se passait et je me suis mis à travailler mon manuscrit pour en faire un scénario. Ce scénario n'est jamais devenu un film, MAIS j'ai réussi à boucler le flux d'énergie qui m'avait gardé connecté à mon manuscrit. Soudainement, je me suis rendu compte que j'avais de l'énergie à consacrer à d'autres projets.

Réfléchissez à votre vie. Avez-vous déjà entrepris des projets que vous n'avez pas menés à terme et qui vous chicotent chaque fois que vous y pensez? Avez-vous eu des interactions qui ont été laissées incomplètes?

Dressez une liste de ces projets inachevés et de ces relations incomplètes et prenez les mesures qui s'imposent. Occupez-vous de les mener à terme pour qu'ils cessent de vous drainer votre précieuse énergie. Vous aurez alors plus d'énergie pour travailler à concrétiser vos rêves.

Ne cillez pas

Calmez-vous.
Si vous ne vivez pas au bord du précipice
Vous prenez trop de place.
— Anon (traduction libre)

Vous avez fait tout ce qu'il fallait pour bien vous préparer et vous vous tenez maintenant au bord du précipice de vos rêves. Maintenant, NE CILLEZ PAS! Les yeux grands ouverts, vous devez prendre une bonne respiration et sauter!

Je crois que le tennis constitue l'un des meilleurs exemples de ce que je veux dire. On peut soutenir que Wimbledon est le tournoi de tennis par excellence et que ses finales sont souvent de véritables démonstrations non seulement d'adresse, mais aussi de détermination mentale et de cran. Combien de fois voyons-nous le joueur parti perdant mener jusqu'au troisième set, avant d'être submergé par l'émotion? Imperturbable, le favori devine ce que vit son rival. Sachant ce qu'il ressent, il retarde son intervention le plus longtemps possible, laissant la tension monter et monter, prêt à lutter pour chaque point. Le joueur parti perdant devient de plus en plus nerveux. Il se met à penser à la victoire et à ce qu'elle représente, il cille un instant et vlan! Le favori reprend le dessus! Il remporte le set et le match se poursuit. Le pauvre joueur parti perdant ne pense qu'à l'occasion manquée. Il ferme les yeux à la victoire et se sent de plus en plus frustré à mesure que le match progresse, et il finit par le perdre.

Ne vous méprenez pas sur mes paroles. Je ne veux pas dire qu'il faut être aussi froid, aussi indifférent et aussi détaché qu'un robot. Ce n'est pas une façon de vivre et nous avons tous besoin de sentir. Cependant, il faut savoir faire la distinction entre la nervosité et l'exaltation. Récemment, j'ai emmené des enfants de huit ans dans un parc d'attractions. Ils voulaient essayer tous les manèges terrifiants, plus particulièrement ceux qui sont équipés de sièges qui tournent dans tous les sens en défiant les lois de la gravité! J'étais nerveux et ils étaient très excités. En faisant la queue avec eux, je me sentais préoccupé, essoufflé et peu communicatif. Ils étaient exubérants, débordants d'énergie et généralement bruyants et expansifs. Vous savez à quoi ils m'ont fait penser à ce moment-là? Eh bien, je me suis demandé s'il arrivait aux enfants de se sentir nerveux? Et j'ai conclu que non. Je pense que nous apprenons à nous sentir nerveux. Or, si nous apprenons à nous sentir nerveux, nous devrions assurément pouvoir apprendre à ne pas nous sentir nerveux! Ne devrions-nous pas pouvoir oublier notre peur des conséquences et laisser tomber notre nervosité? Vivre le moment présent et apprécier pleinement les sentiments qui nous exaltent!

Lorsque vous vivez un moment lourdement chargé de destin, vous devez le vivre pleinement, les yeux grands ouverts. Si vous essayez de vivre à la fois le présent et le futur, vous disperserez votre énergie et serez plus faible dans le moment présent. Et si vous vous laissez submerger par le passé ou par ce qui s'est passé telle ou telle fois, vous ne serez jamais pleinement dans le moment présent. Dites-vous que, dans de telles circonstances, le présent, le passé et le futur n'ont aucune pertinence. Il n'y a que le moment présent! Donnez-vous-y entièrement!

Puisque vous ne pouvez pas voir ce que le futur vous réserve, pourquoi vous en inquiéteriez-vous? Et puisque vous ne pouvez pas changer le passé, pourquoi vous en inquiéteriez-vous?

Mais que se passe-t-il lorsque les choses ne se déroulent pas comme vous le voulez?

Ne combattez pas le monde

Gardez toujours votre équilibre. Nos rêves se réalisent seulement lorsque nous avons les pieds bien plantés dans la réalité. Persévérez, on ne sait jamais quand un miracle se produira !
— BILL CLINTON (traduction libre)

Lorsque les choses ne vont pas comme nous le voulons, nous avons souvent envie de nous fâcher contre le monde entier et de tout balancer. Mais où cela nous mènerait-il ?

En fait, le monde évolue de manière bien mystérieuse et je crois que nous ne devrions jamais nous imaginer pouvoir vraiment le comprendre. Cependant, je crois aussi que nous ne devrions jamais cesser d'essayer de le comprendre. Autrement dit, je crois que nous devons donc rester ouverts à tout ce qui arrive.

N'oubliez pas qu'en ayant décidé de changer et de poursuivre vos rêves, vous avez plongé dans une eau très différente. Vous ferez inévitablement des vagues et vous ne pouvez connaître à l'avance l'effet de ces vagues ou leurs répercussions sur vous.

Si vous êtes réceptif à tout ce qui peut découler de vos gestes, vous saurez reconnaître les occasions qui se présentent. Dites-vous que tout ce qui vous arrive est ce qui peut vous arriver de mieux. Et rappelez-vous comment regarder le monde dans le passé, le présent et le futur. Dans le présent, une chose n'est pas bonne ou mauvaise. Une chose est ou n'est pas. C'est la façon dont nous y réagissons qui détermine si elle est bonne ou mauvaise. Et c'est notre choix!

Pendant la rédaction de ce livre, j'ai vécu une expérience qui illustre bien mon propos. Lorsque j'écris, j'aime me cacher du monde et éviter toute distraction qui puisse m'éloigner de mon but. Pour écrire le présent livre, je m'étais donc installé dans une petite hutte près d'un grand barrage. Cette hutte était située sur une immense ferme au pied des montagnes Drakensberg, en Afrique du Sud. Un lieu idyllique! Il n'y avait personne pour me déranger, la vue splendide avait de quoi m'inspirer et les oiseaux me procuraient les seules distractions dont j'avais besoin.

Puis, au beau milieu de la rédaction de mon livre, on m'a dit que le propriétaire de la hutte souhaitait venir y passer une nuit et que je devrais aller loger ailleurs cette nuit-là. Ma première réaction a été de me dire: «Ah merde! C'est une catastrophe! Je n'arriverai jamais à terminer ce livre, mes plans sont complètement foutus!»

Puis j'ai réussi à me calmer. J'ai ramassé mes affaires pour aller m'installer ailleurs pour la nuit. Or, en plus de me donner l'occasion de bien manger et de boire du bon vin en compagnie de personnes hors du commun, ce petit contretemps m'a aussi permis de rencontrer le matin suivant un visiteur à la ferme qui m'a proposé le genre de travail que je cherchais depuis un bon bout de temps!

Par conséquent, ne vous imaginez pas que vous pouvez faire mieux que la Providence! Acceptez ce que vous avez sous le nez et gardez les yeux grands ouverts! On ne sait jamais quelles choses merveilleuses peuvent arriver soudainement!

S'arrêter, réfléchir, puis agir !

Ce ne sont pas les espèces les plus fortes qui survivent ni les plus intelligentes; ce sont celles qui savent le mieux s'adapter au changement.
— CHARLES DARWIN (traduction libre)

Pour accepter ce qui arrive, il faut une certaine souplesse, malgré notre désir de certitudes. En outre, comme le changement risque de provoquer en nous une réaction de colère, nous devons nous doter d'une stratégie pour composer avec le changement sans déroger à nos grands projets.

J'adore faire de la plongée en scaphandre autonome. C'est un sport auquel se rattache le mantra «Arrête, réfléchis, puis agis!». Dès qu'un plongeur se trouve dans une situation difficile et qu'il panique, il risque de graves blessures, et même des blessures mortelles!

Un cours de plongée en scaphandre autonome comprend beaucoup de théorie, mais il faut aussi s'exercer à prendre des mesures d'urgence et faire des exercices de sauvetage. Tout plongeur connaît ces mesures et ces exercices, mais bien des gens oublient l'ingrédient magique: «Arrête, réfléchis, puis agis!» Ce mantra est crucial pour la survie d'un plongeur et, souvent, pour la survie de ses compagnons.

Les exemples sont nombreux. En voici un: des plongeurs se trouvaient près d'un récif qui les protégeait de la houle. Fascinés par la vie marine, ils n'avaient pas vu le temps passer et, s'étant égarés, des courants océaniques trop près du récif les empêchaient maintenant de remonter à la surface en toute sécurité. Un plongeur se mit à paniquer. Il essayait de nager à contre-courant, mais plus il essayait, plus il se fatiguait et plus il utilisait d'oxygène. Il finit par manquer d'air, ce qui le fit paniquer encore davantage. Il remonta en vitesse à la surface et fut victime d'un accident de décompression. Les autres plongeurs s'étaient rendu compte qu'ils ne pouvaient avoir raison de la mer. Ils avaient gardé leur calme et laissé le courant les mener plus loin au large. Après avoir dépassé le récif, le courant s'était calmé, ce qui leur avait permis de remonter à la surface et d'envoyer un signal au bateau en se servant de leur matériel d'urgence.

Dites-vous que c'est la même chose dans la vie. Ce n'est pas les circonstances qui vous tueront, mais la façon dont vous y réagissez.

La prochaine fois que vous vous trouverez dans une situation délicate, ne paniquez pas. Sachez garder votre calme et votre concentration. Arrêtez-vous, réfléchissez, puis AGISSEZ! En reconnaissant que le monde est en constante évolution et en acceptant ce qui arrive, vous vous donnez la possibilité d'ajuster votre stratégie et de vous adapter au changement.

Je crois, tu crois, nous ne sommes pas d'accord!

Face à l'événement, c'est à lui-même que recourt l'homme de caractère.
— CHARLES DE GAULLE

Les valeurs résident dans le futur et représentent les idéaux auxquels nous aspirons. En général, la plupart des gens diraient qu'ils aspirent à être intègres; cependant, rares sont ceux qui peuvent affirmer ne jamais avoir eu recours au moindre pieux mensonge. En cas de conflit de valeurs, notre foi en nos propres valeurs est mise à rude épreuve. Une valeur n'est une valeur que si nous sommes disposés à sacrifier quelque chose pour la préserver.

Comme nos valeurs sont très proches de qui nous sommes, elles peuvent donner lieu à toutes sortes de conflits irréconciliables avec les autres. Si vous vous donnez la peine de discuter avec des gens qui ont mis fin à des amitiés ou à des relations de longue date, vous découvrirez généralement que leur rupture découlait d'un conflit de valeurs.

Imaginez le scénario suivant: vous considérez que nous sommes tous égaux. Un jour, vous découvrez que l'un de vos plus vieux amis est raciste. Que faites-vous? Comment allez-vous résoudre ce dilemme? Le convaincrez-vous de changer ses croyances ou déciderez-vous sciemment de faire passer l'amitié avant vos croyances?

En cas de conflit de valeurs, nous avons toujours beaucoup de difficulté à aller jusqu'au fond des choses et à déterminer calmement et une fois pour toutes la véritable source de notre détresse. N'attendez pas des années avant de chercher le nœud du problème, car, à ce moment-là, il sera trop tard.

Si vous prenez le temps de déterminer exactement ce qui compte dans votre vie et quelles sont les valeurs auxquelles vous tenez, vous serez en mesure de vous approprier ces valeurs et de vivre de manière authentique.

Les valeurs sont les blocs de construction de notre code moral personnel. Si vous vous trouvez confronté à un dilemme d'ordre moral, essayez de recourir au modèle ci-après.

Commencez d'abord par faire l'historique de la question qui vous tracasse. Le problème dure-t-il depuis longtemps? Y a-t-il des faits saillants dont vous devez tenir compte? Y a-t-il d'autres personnes en cause? Qu'avez-vous à perdre? Une amitié, une relation intime, une bonne affaire?

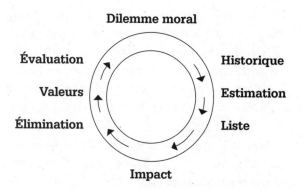

Dilemme moral

Évaluation   Historique

Valeurs   Estimation

Élimination   Liste

Impact

Ensuite, faites une estimation des options qui s'offrent à vous. Vous les trouverez sans doute plus facilement en vous posant trois questions. Premièrement, demandez-vous ce qui vaut le mieux, c'est-à-dire ce qui, en principe, est la meilleure chose à faire.

Deuxièmement, montrez-vous un peu machiavélique et demandez-vous ce que vous considéreriez comme un résultat heureux. Disons, par exemple, que votre dilemme concerne une amitié de longue date. Si vous agissiez uniquement par principe, vous pourriez devoir vous résigner à renoncer à tout jamais à cette amitié. Cependant, si cet ami et vous-même faisiez partie d'un groupe d'amis très proches, vous vous retrouveriez en réalité dans une situation intenable. Dans ce cas, le résultat serait heureux si vous parveniez à résoudre vos différends et à demeurer des amis.

Troisièmement lieu, demandez-vous si la solution est appropriée sur le plan social ou culturel.

Par exemple, une tribu primitive trouverait culturellement acceptable de punir un membre de la tribu ayant causé du tort à un autre membre de la tribu en lui piquant le postérieur avec une flèche ; cependant, cette punition passerait sans doute beaucoup moins bien dans une société occidentale.

Une fois que vous avez répondu à ces trois questions, dressez une liste de toutes les possibilités pouvant vous permettre de trouver une solution à votre conflit de valeurs. À ce stade, n'essayez pas d'en éliminer ; concentrez-vous plutôt à en trouver autant que possible.

Une fois votre liste terminée, considérez l'impact des diverses possibilités que vous avez notées et éliminez celles qui sont totalement inacceptables. Y a-t-il un risque que quelqu'un soit blessé ? (Et adieu la possibilité très tentante mais culturellement inacceptable de piquer le postérieur d'un crétin avec une flèche !) Y a-t-il un prix rattaché à la bonne affaire ? Y a-t-il un impact temporel ? Si vous avez un colocataire, par exemple, vous avez l'option de le mettre dehors (et de vous servir de la flèche pour l'aiguiller vers la porte s'il ne veut pas partir !).

L'étape suivante consiste à revoir chacune de vos possibilités à la lumière de vos propres valeurs, dont vous avez dressé la liste.

Enfin, vous devez prendre une décision. N'oubliez pas qu'une décision morale est une décision que vous pourriez justifier et recommander à une autre personne. Autrement dit, si quelqu'un vous demandait pourquoi vous avez pris

telle ou telle décision, vous pourriez lui dire:
«J'ai pris cette décision parce que la loyauté fait
partie de mes valeurs et je vous recommanderais
de prendre la même décision si vous vous trou-
viez dans une situation semblable.» ET vous
devez pouvoir vivre avec cette décision!

Voyons un exemple qui vous permettra de
saisir les problèmes très délicats qui peuvent
découler de conflits de valeurs.

Disons que vous étudiez à l'université. Vous
venez de terminer vos examens et vous ne connaissez pas encore vos résultats. Un de vos bons
amis est un crack en informatique. Après vous
avoir confié qu'il a réussi à s'introduire dans le
système, il vous donne vos résultats. Vos notes
sont insuffisantes. Vous ne serez pas admis dans
le programme de deuxième cycle que vous visez
depuis quatre ans. Cependant, votre ami vous
dit qu'il peut changer vos notes et que personne
ne s'en apercevra jamais.

L'historique. Vous avez toujours rêvé de vous
inscrire dans une certaine université presti-
gieuse et il ne vous manque qu'un seul point
pour être accepté. Vous savez qu'un de vos pro-
fesseurs vous déteste royalement et vous avez
toujours eu l'impression qu'il vous donnait de
mauvaises notes non pas à cause de vos travaux,
mais à cause de ses sentiments à votre égard.
Vous savez aussi qu'il fait exactement le contraire
avec plusieurs jeunes filles qui lui ont léché les
bottes pendant toute l'année. Enfin, vous êtes
ami avec le crack en informatique depuis de
nombreuses années et vous savez qu'il ne

révélerait jamais à âme qui vive que vous avez accepté sa proposition.

Estimez vos options et dressez votre liste. La chose correcte à faire consisterait à ne rien faire. Un résultat heureux serait votre admission à l'université que vous rêvez de fréquenter, ni vu ni connu. Un résultat convenable, compte tenu des méthodes de notation douteuses du professeur en cause, serait l'obtention de la note que vous méritez.

Éliminez les options inacceptables. Aucune de vos options n'occasionnerait de blessures corporelles à quelqu'un et, en supposant que personne ne découvre jamais la vérité, vos options n'ont pas de répercussions réelles.

Voyons maintenant la question des valeurs. Les valeurs en cause ici sont l'intégrité et la justice. Il serait malhonnête de modifier vos résultats. Cependant, votre professeur s'est montré malhonnête dans sa façon d'attribuer ses notes, et cela justifie assurément l'idée de faire modifier les vôtres.

Enfin, la décision. N'est-ce pas là la grande question? Vous pouvez choisir l'une ou l'autre de ces deux options et justifier votre décision. Cependant, j'imagine que, pour la plupart des gens, il n'y a qu'une décision avec laquelle ils pourraient vivre.

En réalité, si vous décidez de ne rien faire et de privilégier vos valeurs d'intégrité, le prix à payer est le sacrifice de l'université qui vous tient à cœur, auquel cas votre intégrité demeure intacte.

Et, maintenant, le dénouement tordu : votre copain va de l'avant et change ses propres notes ; il est admis à l'université où vous vouliez entrer, puis il vous dit que vous avez été bien idiot de ne pas accepter son offre. Où la flèche est-elle passée ?

Une semaine plus tard, votre ami et vous êtes appelés à vous présenter au bureau du doyen. Ce dernier vous regarde droit dans les yeux et vous dit que de graves irrégularités ont été commises et que des résultats pourraient avoir été modifiés. « Avez-vous quelque chose à dire à ce sujet ? »

Comme vous le savez, on ne sait jamais ce que l'avenir nous réserve. Par conséquent, pour être heureux, vous devez bien clarifier vos valeurs et accepter de les laisser vous guider. Si vous décidez de mener une vie authentique, sachez que vous y gagnerez, mais qu'il y aura aussi un prix à payer.

Restez dans
la conversation

Il n'y a pas longtemps, des amis à moi se sont retrouvés au beau milieu d'un conflit de valeurs semblable à celui que je viens de citer en exemple. Pour les besoins du scénario, appelons-les Belinda et Duncan. Leur conflit était de nature professionnelle. Naturellement, tous deux étaient convaincus d'avoir raison et tous deux s'opposaient vigoureusement à la position prise par l'autre. Lorsque j'ai eu vent de leur conflit quelques semaines plus tard, Belinda et Duncan ne s'adressaient plus la parole. Ils avaient atteint le stade où chacun cherchait à s'allier des partisans. À leurs yeux, une personne était de leur côté ou du côté de l'autre – c'est noir ou blanc.

Leur situation me paraissait bizarre. La dernière fois que je les avais vus, ils étaient encore bons amis et très enthousiastes au sujet de leur projet. Je trouvais désolant que leur relation ait dégénéré en hostilité ouverte. La seule chose qui semblait leur importer était de faire valoir qu'ils avaient raison et que l'autre avait tort.

En fin de compte, Belinda a fini par se calmer suffisamment pour me dire qu'elle était surtout furieuse que Duncan refuse de lui expliquer son point de vue. Tout ce qu'elle voulait était une «conversation musclée» pour dissiper le malaise. Elle était fâchée que Duncan agisse comme s'il lui reprochait un trait de son caractère, sans lui donner l'occasion d'en «appeler» de sa décision.

Duncan, qui était beaucoup plus calme que Belinda, avait peur de discuter de la situation avec elle, car son côté direct l'intimidait.

Match nul – mais, que faire? Dans ce genre de situations, il y a toutes sortes de choses à considérer, mais je me suis rendu compte que le plus important était de répondre aux questions suivantes: *Que veux-tu et que ferais-tu pour obtenir ce que tu veux? Jusqu'où t'engages-tu?*

En réfléchissant à ces questions, vous développerez un point de vue réellement différent; vous cesserez de réagir et de blâmer l'autre. Pour cela, cependant, vous devrez renoncer à juger et vous devrez envisager de pardonner, de pardonner à l'autre, le plus facile, et de vous pardonner à vous-même.

Voici une anecdote qui vous expliquera mieux ce que je veux dire. Je vivais normalement à la campagne, mais j'étais revenu en ville temporairement pour remplir un engagement professionnel. J'avais besoin d'un endroit où rester et je ne voulais pas vivre seul. J'en ai parlé autour de moi et un ami m'a suggéré d'aller m'installer chez un autre ami qui vivait dans une grande maison où il y avait quelques pièces libres. J'ai fini par aller rester dans cette magnifique maison avec piscine et tout le confort moderne – la vie était délicieuse!

Au bout de quelques mois, j'ai commencé à me dire que j'étais déjà resté assez longtemps, qu'il était temps de partir si je ne voulais pas abuser de l'hospitalité de mon hôte. Vous voyez ce que je veux dire? Je commençais à sentir que je n'étais plus un invité, mais un résident permanent, et que mes rapports avec mon hôte étaient en train de changer. Nous devenions plus familiers, plus curieux de nos allées et venues respectives. De petits détails qu'un invité ne remarque pas normalement commençaient à me taper sur les nerfs. Je m'irritais de la marque de lait dans le frigo ou des émissions qui jouaient à la télé et je pestais contre mon hôte qui ne recyclait pas ses bouteilles.

J'ai finalement décidé de partir. J'ai annoncé à mon hôte que je partais pour diverses raisons avec lesquelles il était probablement d'accord. J'ai ajouté qu'il serait sans doute soulagé de ne pas être forcé de me demander de partir. Vous savez quoi? Il m'a donné une grande leçon de sagesse! Je pensais qu'il me dirait qu'il était bien triste de me voir partir, tout en pensant le contraire, naturellement, mais ce n'est pas du tout ce qui s'est passé. Il m'a dit: «Si tu as l'impression qu'il faut que tu partes, n'hésite pas! Cependant, si tu veux mettre notre amitié à l'épreuve, tu devrais rester. Nous en arriverons au stade où nous nous taperons sur les nerfs, sans pouvoir nous dérober et sans autre choix que de parvenir à régler nos différends. C'est là une occasion exceptionnelle de hisser notre amitié à un autre niveau!»

Ouf! C'était direct!

Vous savez, ce n'est jamais l'autre qui nous fait peur – c'est nous-mêmes! Les gens les plus proches de nous deviennent les miroirs de nos imperfections, dont nous disons tant de mal. Notre véritable défi consiste à rester dans la conversation et à aller jusqu'au fond des choses, ce qui nous permet d'obtenir un reflet exact de nous-mêmes.

Encore une fois, je ne dis pas que cela est facile. Si vous pouvez trouver le courage de rester dans la conversation, de continuer à dialoguer, au lieu de vous éloigner, vos conflits trouveront des solutions fondées sur la vérité et la compassion plutôt que sur les jugements et la colère. Et ces solutions seront complètes, ce qui signifie que vous pourrez passer à autre chose! Mais – n'y a-t-il pas toujours un mais – il faudra absolument que vous renonciez à toujours vouloir avoir raison...

Prenez votre envol

Il faut être libéré de toute peur.
— Michael Ignatieff, *The Needs of Strangers*

Renoncer à votre notion du contrôle peut se révéler un défi de taille. Il est très difficile de s'ouvrir à toutes les possibilités et d'accepter le monde sans le combattre, à moins de reprogrammer son cerveau, à moins de lui donner une mentalité d'abondance plutôt qu'une mentalité de manque.

Une personne qui cultive une mentalité de manque n'a que des possibilités limitées ; une mentalité d'abondance lui ouvrirait d'infinies possibilités. Du point de vue du manque, je vous donnerai comme exemple le scénario du crack en informatique. Ayant réussi à entrer dans le système et à modifier ses notes, il occupe VOTRE place à l'université, c'est-à-dire celle que VOUS visiez. En voudrez-vous à cette personne jusqu'à la fin de vos jours ? Vous convaincrez-vous que vous avez raison et qu'elle a tort ? Vous mettrez-vous à faire du lobbying auprès de vos amis pour qu'ils prennent parti pour vous ?

En raison du manque dont elle est responsable, cette personne mérite d'être punie. Du point de vue de toute l'abondance dont nous jouissons, cependant, il y a bien assez de tout pour tout le monde. Grâce à l'abondance, d'autres occasions s'ouvriront. Autrement dit, si vous cessez de vous battre contre le monde, il y aura peut-être au monde plus qu'une possibilité qui pourra vous convenir. Ne serait-ce pas plus sensé?

Cessez de vous inquiéter de ce que les autres parviennent à obtenir. Reconnaissez une fois pour toutes qu'une personne peut avoir une chose sans que vous ne soyez laissé pour compte. N'oubliez pas que chacun vit sa propre vie.

Occupez-vous d'abord de votre vie! Comment? Vous souvenez-vous du capitaine Karma? Cessez d'avoir peur de rater une occasion et apprenez à donner. Commencez à mettre dans le monde ce que vous aimeriez y trouver!

La gratitude est source de joie

Il y a du bon dans TOUT! Le problème est qu'il faut parfois un peu de temps pour trouver le bon dans une chose. Il ne peut y avoir de joie sans gratitude! Si vous adoptez une mentalité de manque, si vous en voulez aux autres d'avoir ce qu'ils ont et si votre sort vous fait rager, vous serez toujours malheureux.

Quelle que soit la situation, aussi pénible soit-elle, vous devez toujours vous demander ce qu'elle a de bon.

Même la pire chose a un bon côté. Ou bien vous gaspillez votre énergie limitée à lutter contre le monde, ou vous acceptez la situation telle qu'elle est et vous vous concentrez sur ses éléments positifs.

Les ruptures amoureuses laissent souvent les gens amers et tordus. Lorsque deux personnes se séparent après avoir été très proches l'une de l'autre, elles éprouvent souvent beaucoup de peine et beaucoup de colère. Ces sentiments découlent de conflits de valeurs fondamentaux. Très souvent, ces deux personnes feront ensuite campagne auprès de leurs amis communs pour les faire adhérer à leur version des faits. Avez-vous déjà été pris dans une situation de ce genre?

Combien d'énergie de telles personnes gaspillent-elles pour essayer de convaincre les gens qu'elles ont raison et que «l'autre» a tort? Et combien de fois entend-on ces mêmes personnes dire, au beau milieu de leurs doléances: «Je ne l'ai jamais vraiment aimé de toute façon...»

En entendant ce genre de propos, avez-vous déjà eu le courage de répondre: «Alors de quoi te plains-tu? Mène ta vie et fiche-nous la paix!»

Si vous savez voir les aspects positifs dans toute situation, la vie prendra pour vous une toute nouvelle signification. Pendant vos séances de méditation du matin, prenez le temps d'exprimer votre gratitude pour tout ce que vous avez dans la vie. Si vous le faites, vous parviendrez à mettre de la joie dans votre vie. En exprimant votre gratitude, vous répandrez aussi de la joie autour de vous et vous attirerez la joie.

Si vous vous laissez ronger par l'amertume, vous vous mêlerez au marasme, et vous serez un mal-aimé.

À la santé des problèmes de liberté !

Lorsque nous cessons de réagir au monde, lorsque nous enlevons la tête du nuage épais qui nous enveloppe dans une vie de réaction, nous découvrons une chose extraordinaire – la liberté !

Nous sommes libres lorsque nous nous libérons des limites que nous nous sommes nous-mêmes imposées. La liberté vient du pouvoir de ne plus se laisser impressionner par le baratin des autres. Nous sommes libres lorsque nous nous libérons des attentes des autres et que nous saisissons l'occasion que nous avons devant les yeux !

Rares sont les gens qui poussent leur cheminement aussi loin ! Pour la plupart, nous nous laissons séduire par le mode de vie que la société attend de nous. Une bonne éducation, un bon emploi, une femme ou un mari, des enfants ! Puis nous attendons notre tour au soleil !

Cependant, il y a des gens qui se battent pour échapper à ce mode de vie. Ces personnes trouvent leur véritable personnalité et profitent de leur liberté. J'espère que vous ferez partie de ces personnes! Mais si vous en faites partie, vous devrez composer avec les problèmes que pose la liberté. Vous désintéressez-vous des luttes que mènent les gens dans le monde pour faire valoir leurs droits? Ou êtes-vous solidaire de ces luttes et prenez-vous la responsabilité de changer le monde?

Personne ne peut faire ce choix à votre place. Personnellement, cependant, j'espère que vous déciderez de vous engager dans le processus que je vous propose, parce que cette liberté EST votre liberté...

AGIR SUR LE MONDE

L'imbécile rationnel

Le cœur a ses raisons
Que la raison ne connaît point.
— BLAISE PASCAL

À moins de décider de devenir un ermite et d'aller vivre dans une grotte dans les montagnes, vous devrez interagir avec vos semblables. L'imbécile rationnel est celui qui prend des décisions à court terme dans son propre intérêt, en omettant de tenir compte des effets de ses actes sur les autres.

Imaginez que vous vivez au sein d'une tribu dans un coin reculé de l'Afrique et que vous devez chasser pour manger. D'un point de vue rationnel, si vous attrapez une proie, vous devriez la consommer en entier pour vous faire des forces et des réserves d'énergie pour chasser. Malheureusement, vous n'attrapez pas toujours des proies. En outre, si tout le monde se conduisait de manière rationnelle, il y a des jours où vous auriez à manger et des jours où vous seriez affamé. Ce serait chacun pour soi et la tribu dans son ensemble serait faible. En revanche, si vous partagiez vos prises avec tout le monde et si tout le monde faisait de même, vous pourriez manger régulièrement. Par conséquent, les gens rationnels sont des imbéciles qui finissent par se couper la gorge.

Transposons cet exemple dans notre monde. L'imbécile rationnel est celui qui veille sur lui-même. Dans les réceptions, il consomme toujours plus que sa part. S'il est invité, il apporte quelques bières bon marché, mais il prend soin de boire des bières de meilleure qualité sans que personne ne s'en aperçoive; il triche au golf; au travail, il poignarde ses collègues dans le dos pour arriver à ses fins; il passe devant tout le monde, et il profite de la générosité des gens sans jamais leur rendre la pareille. Vous voyez le genre?

À court terme, un imbécile rationnel s'en tire bien. À long terme, cependant, les choses se gâtent. Ses amis et connaissances finissent par s'apercevoir qu'il est un faux jeton et ils se mettent à l'éviter. En général, à ce stade, l'imbécile rationnel circule déjà dans de nouveaux cercles !

Êtes-vous un imbécile rationnel? L'antidote : soignez votre réputation !

D'un point de vue rationnel, nous ne devrions jamais entretenir de relations à long terme avec les autres, car plus une relation dure longtemps, plus elle risque de nous faire souffrir d'une manière ou d'une autre. Et je parle ici tant des relations amoureuses que des relations professionnelles. L'effondrement d'une relation au bout d'un mois est loin d'être aussi pénible et aussi dévastateur que l'effondrement d'un mariage au bout de vingt ans.

Nos émotions nous permettent cependant de contourner le côté rationnel qui nous limite. L'amour et les passions réciproques nous amènent irrésistiblement à créer des liens avec d'autres personnes. Outre les bienfaits évidents que nous en retirons, la culpabilité, l'honneur, la compassion et la honte nous empêchent de «fuir seuls», c'est-à-dire de rompre un engagement dès qu'il se présente de meilleures options «rationnelles».

Nos émotions nous permettent de neutraliser nos pensées rationnelles et nos peurs; et elles nous permettent de mieux profiter de la vie en nous assurant des relations réciproques et mutuellement bénéfiques. En tant qu'êtres émotionnels, nous sommes constamment à la recherche de relations de ce genre. En général, pour vivre une relation réciproque, nous sommes prêts à laisser le bénéfice du doute à l'autre (ou à lui laisser suffisamment de corde pour se pendre, si nous sommes cyniques...).

Au début d'une relation, nous surveillons les comportements de l'autre personne. Nous nous demandons si sa façon d'être s'accorde avec ce qu'elle dit être ET si ses croyances s'accordent avec les nôtres. Si c'est le cas, nous lui accordons plus de confiance, et cette confiance croît en spirale. Plus le temps passe sans que notre confiance ne soit ébranlée, plus elle se raffermit. C'est ce phénomène qui explique pourquoi l'effondrement d'une relation de longue date est tellement pénible – les liens de confiance sont beaucoup plus profonds; nous avons révélé à l'autre une très grande part de nous-mêmes.

Votre réputation est un élément clé, car, en général, elle vous précède et détermine jusqu'à quel point les gens vous donneront le bénéfice du doute.

Si vous décidez que vous ne voulez pas établir de relations avec les gens, par exemple parce que vous avez été blessé dans le passé, dites-vous que la seule personne à qui vous nuisez est vous-même. Vous agissez comme un imbécile rationnel!

Le grand puzzle

Chaque vie se compose des pièces d'un puzzle.
Pour certains, les pièces sont plus nombreuses;
pour d'autres, elles sont plus difficiles
à assembler. Cependant, sachez ceci:
vous ne possédez pas en vous-même
toutes les pièces de votre puzzle.
Chacun porte en lui au moins une et
peut-être plusieurs pièces du puzzle
de quelqu'un d'autre…
Quand vous présentez votre pièce,
qui n'a aucune valeur pour vous, à quelqu'un,
que vous le sachiez ou non,
vous êtes un messager du plus Haut.
— RABBIN LAWRENCE KUSHNER (traduction libre)

Si vous êtes du genre à croire que vous pouvez régler tous vos problèmes par vous-même et que vous ne devriez absolument pas vous en remettre aux autres, c'est à votre tour de dire: «Ah merde!»

L'entité ou la force qui a conçu le plan génial de nous mettre sur cette Terre était vraiment très rusée. Nous sommes interdépendants – nous dépendons les uns des autres. Si nous cherchons à éviter tout rapport avec nos semblables à cause de blessures et de souffrances passées, nous nous refusons toute possibilité d'être entiers.

Du point de vue de l'être authentique, notre interdépendance signifie – que cela nous plaise ou non – que nous ne collaborons pas uniquement à notre propre avenir, mais aussi à l'existence future de notre collectivité, de notre génération et de nos divers groupes d'amis.

Voyons maintenant l'interdépendance du point de vue du passé, du présent et du futur.

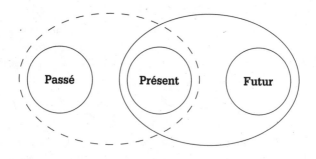

Rappelez-vous! À titre d'être authentique, vous prenez possession de vos possibilités futures, vous vous les appropriez et, ensuite, vous agissez sur elles dans le présent. En clarifiant votre intention, en définissant très précisément vos croyances et en passant à l'action, vous concrétisez votre idéal.

CEPENDANT, pendant que vous faites tout ce travail, d'autres personnes évoluent elles aussi, consciemment ou inconsciemment. Bon nombre ont renoncé à leurs possibilités futures et vivent une vie inauthentique. D'autres ont relevé le défi et profitent activement de bonnes choses. Malheureusement, d'autres encore manifestent activement de la peur, de la haine, de la colère. Si l'on additionne toutes les choses que les gens expriment partout sur la Terre, on obtient la manifestation collective de tous les êtres. C'est ce qui fait notre monde.

J'ai mentionné que la liberté comportait ses propres problèmes. Voici, sous forme de question, un des problèmes dont je parlais : à quel genre de monde voulez-vous participer ?

Si vous regardez tous vos amis, vous verrez que certains cherchent à vivre de manière authentique, tandis que d'autres se débattent encore dans les sables mouvants de leurs peurs. Que pouvez-vous y faire ?

La liberté règne dans la vérité

Il n'y a pas de Dieu au-dessus de la vérité.
— MAHATMA GANDHI (traduction libre)

Une relation avec une autre personne est authentique lorsqu'elle aide cette personne à obtenir sa liberté et à faire siennes les possibilités uniques que le futur lui réserve. En cheminant sur la voie de l'authenticité, en travaillant encore davantage à stopper à la fois le monde et vos réactions au monde, vous découvrirez que vous avez de plus en plus d'énergie, ou de pouvoir personnel, pour aider les autres.

Vous pouvez être un miroir pour les autres, un miroir qui les libérera de l'habitude de réagir et qui leur fera retrouver la liberté. CEPENDANT, vous ne pouvez être un miroir que dans la vérité absolue. Comme j'en ai parlé dans mon ouvrage précédent, *Être,* le plus beau cadeau que nous puissions faire aux autres est de nous offrir à eux entiers et dans toute notre vérité. Malheureusement, il y a toujours une partie de nous-mêmes qui voudrait que les autres nous aiment. Cette partie de nous-mêmes nous fait craindre les remous et les vagues, ce qui nous amène souvent à éviter ou à cacher la vérité.

Pour avoir des relations authentiques avec les autres, vous devez faire passer la vérité avant votre propre confort.

Il est difficile d'agir avec amour et compassion, mais en refusant les relations inauthentiques, vous vous donnerez la possibilité de vivre des relations authentiques. Une fois vos relations inauthentiques derrière vous, vous constaterez que vous avez plus d'énergie – car ces relations ne vous draineront plus d'énergie.

Et comment peut-on établir avec les autres des relations qui leur permettent de s'approprier leur liberté?

Pour commencer, vous devez reconnaître la nature temporelle de l'existence. Tout change, rien ne reste immobile et le temps continue à s'écouler, peu importe ce qui arrive. Rien ne demeure constant. Le présent n'est-il pas qu'un bref éclair entre le passé et le futur? Apparaît-il un moment pour disparaître le moment suivant? Si vous saisissez cela, vous comprendrez que le secret consiste à évoluer avec le monde.

Le présent est le seul lieu où l'esprit et la matière se rencontrent. C'est le seul lieu où vous avez l'occasion d'interagir avec le monde matériel et d'exercer une influence sur lui. Le présent est notre point de pouvoir. Malheureusement, les gens finissent souvent par oublier le moment présent pour aller et venir en boucle entre le passé et le futur. Dans une relation authentique avec une autre personne, vous devez aider cette personne à assumer la responsabilité de son avenir et à AGIR!

Vous êtes maintenant une personne extraordinairement allumée, illuminée! Lors de votre prochaine conversation avec un ami qui s'interroge sur toutes ces questions, posez-vous la question suivante avant même d'ouvrir la bouche: *Ce que je m'apprête à dire à cette personne lui fournira-t-elle une nouvelle occasion d'AGIR?*

Si vous répondez «non» à cette question, ayez l'intelligence de vous taire et continuez à réfléchir!

La lumière
au bord du monde

Mon humanité est liée à la tienne,
car ce n'est qu'ensemble que nous sommes humains.
— Mgr DESMOND TUTU, archevêque
(traduction libre)

Devant les nouveaux défis, il est facile de se retirer en soi-même. Nous le faisons tous à un moment ou un autre. Mais quand le faisons-nous exactement ?

Lorsque nous nous sentons à l'aise et en terrain connu, notre générosité devient plus facile à exprimer. Qu'on vous enlève vos certitudes et votre confort, qu'on vous rende les choses un peu plus difficiles et vous verrez que vous serez bientôt réduit à vivre en mode survie.

En réalité, nous sommes seuls dans le monde seulement si nous croyons l'être. Si vous laissez tomber vous peurs et si vous vous liez à des gens, vous ne tarderez pas à découvrir que la lumière au bout du monde VIENT des autres.

Vous pouvez vous rendre dans les endroits les plus époustouflants au monde, ils vous laisseront indifférent s'il n'y a personne dans votre vie. Même un endroit insupportable peut devenir moins désagréable s'il y a des gens accueillants.

Voici une anecdote pour illustrer mon propos. Il n'y a pas très longtemps, je me trouvais à Barcelone. Un soir, j'ai vu de la marina un coucher de soleil absolument fantastique! Lorsque le disque d'or a disparu derrière les collines qui bordent la ville, le ciel a pris divers tons de rose, puis des tons orangés et, comme par magie, les lumières de la ville ont commencé à s'allumer. C'était à couper le souffle! J'aurais tellement voulu avoir quelqu'un avec qui partager ce moment, avec qui m'émerveiller!

Si vous reconnaissez votre besoin inné de vous connecter aux autres, vous avez déjà fait la moitié du chemin. Pour faire l'autre bout de chemin, cependant, vous devez vous lier avec des gens. Et cela veut dire que vous devrez sans doute vous révéler et vous exposer à la douleur d'un rejet.

Si vous fuyez les autres, sachez que vous ne faites que vous fuir vous-même. Mais comment pouvez-vous cesser de le faire?

La foi et les attentes

Nous devons devenir le changement
auquel nous voulons assister.
— MAHATMA GANDHI (traduction libre)

Dans mon ouvrage précédent, *Être,* j'ai parlé abondamment de l'unité de l'être. Du point de vue de la foi en la nature humaine, ce phénomène devient une question de croyances et de manifestation de ces croyances.

Si vous avez foi en la nature humaine et si vous adhérez à l'idée d'unité, vous vous attendrez à trouver de bonnes personnes autour de vous et vous le montrerez en faisant votre part de bien. Souvenez-vous que notre intention est d'afficher ce que nous croyons être la vérité. En tant que partie d'un tout, nous jouons un rôle qui influence l'environnement autour de nous.

Qu'avez-vous l'intention de montrer? À quoi ressemble votre monde idéal? Vos actions convergent-elles pour créer ce monde idéal?

J'ai fait le test à plusieurs reprises et je sais qu'on peut faire confiance à la nature humaine. Dernièrement, j'ai pris l'avion pour Washington. En arrivant, je me sentais fatigué par le décalage horaire et je n'avais pas beaucoup d'énergie pour m'organiser. Je savais où je m'en allais et je savais qu'il y avait un bus qui se rendait en ville, mais je n'avais aucune idée d'où il partait. Lorsque l'avion s'est enfin posé, j'ai pensé que je devrais faire confiance à la nature humaine et croire que, comme j'avais besoin d'aide, une personne apparaîtrait comme par magie.

J'ai ramassé mes bagages et je me suis dirigé vers la sortie de l'aérogare. En arrivant au bord de la chaussée, j'ai posé mes valises et je me suis mis à regarder autour de moi. Naturellement, en balayant le paysage, j'ai tout de suite remarqué qu'une charmante dame afro-américaine me regardait d'un air amusé, un large sourire aux lèvres.

— Est-ce que ça va, mon cher monsieur ? m'a-t-elle demandé.

Qui aurait pu s'empêcher de sourire à une personne aussi avenante ? Cette dame m'a indiqué l'endroit précis où prendre le bus, ainsi que le prix exact du titre de transport.

Cet incident a renforcé ma conviction qu'il y a de bonnes personnes où que l'on aille dans le monde. Si vous faites confiance à la nature humaine, les gens vous le rendront bien. Le secret, naturellement, est d'être soi-même disposé à faire sa part. Vous souvenez-vous du capitaine Karma ? Lorsque vous vous trouvez dans votre propre ville, courant d'un endroit à l'autre pour vous acquitter de vos nombreuses tâches, prenez-vous le temps de vous arrêter et de vous occuper d'une personne qui vous demande de l'aide ?

Si vous ne le faites pas, prenez un moment pour réfléchir à ce que vous contribuez au monde. Réfléchissez à la façon dont vous pourriez changer votre façon d'être, comment vous pourriez être vous-même le changement que vous souhaitez voir se produire. N'attendez pas que les autres vous donnent la preuve que les gens sont foncièrement bons. Soyez celui ou celle qui en fournit la preuve aux autres.

De moi à nous

Le monde entier, c'est toi.
Pourtant tu continues de penser
qu'il y a autre chose.
— PROVERBE CHINOIS

Peut-être avez-vous eu la vie dure et peut-être n'avez-vous rencontré que des gens qui vous prouvaient constamment que la majorité de nos semblables sont des imbéciles ? Peut-être avez-vous choisi en cours de route de vous méfier des gens, de vous retirer dans votre bulle et de vous occuper uniquement de vous-même ?

Si vous voyez maintenant la nécessité de changer, et que vous vous demandez comment vous y prendre, dites-vous que la première chose à faire est de changer votre perception de la place qui est la vôtre dans le monde.

Retournez dans votre espace tranquille. Calmez votre esprit et voyez-vous comme une sphère d'énergie de lumière blanche. Maintenant, lentement mais sûrement, voyez la sphère d'énergie que vous êtes grossir et s'étendre dans toutes les directions. Changez votre perspective pour avoir l'impression de vous élever comme un hélicoptère. Voyez votre place dans le monde géographique et voyez votre sphère devenir de plus en plus grosse, englobant toute la région dans laquelle vous vous trouvez, puis tout le pays et, enfin, le monde entier.

Maintenant, votre sphère d'énergie fait partie du monde entier et vous faites partie du monde entier. Acceptez ce fait. Concentrez-vous sur votre respiration et sentez que vous faites partie du monde entier. Ne vous visualisez pas comme une entité distincte du monde, comme si vous étiez un astronaute regardant le monde de l'Espace. Visualisez-vous plutôt comme le tout qui forme le monde ; imaginez-vous que votre énergie se répand dans toutes les directions, vers tous les endroits dans le monde. Visualisez-vous comme une partie intégrale du monde et visualisez tout ce qui compose le monde – les gens, les animaux, les autres formes de vie – comme des parties de vous-même.

Lorsque vous vous sentez à l'aise, projetez de l'énergie positive dans le monde. Souhaitez que le bonheur rayonne autour de vous et que les gens éprouvent de l'amour et de la compassion. Mettez dans le monde la quantité exacte d'énergie que vous voudriez y voir. Faites partie de la solution. Ne faites pas partie du problème.

Au bout d'un certain temps, vous ressentirez un sentiment de responsabilité et un sentiment de joie vous envahira.

Graduellement, laissez votre sphère d'énergie reprendre sa taille normale. Terminez l'exercice en raffermissant votre intention d'adopter une attitude positive à toute épreuve.

Pendant le reste de la journée, ne voyez pas les gens que vous rencontrez comme des entités distinctes de vous-même, ni comme des menaces. Pensez au sentiment d'unité que la méditation vous a procuré. Sentez que les gens font partie de vous et que vous faites partie des gens. Lorsqu'on sent que les gens font partie de soi et que l'on se sent lié au tout, on traite les gens de manière complètement différente. Au lieu de leur souligner leurs erreurs, au lieu de leur faire des remontrances, voyez si vous ne pouvez pas aider les autres.

Voici où je veux en venir : si votre gros orteil vous faisait souffrir, l'écraseriez-vous d'un bon coup de marteau en lui hurlant de se tenir tranquille ? À moins d'être masochiste, personne, à mon avis, ne ferait une chose pareille. La plupart des gens chercheraient à découvrir la cause du problème afin de pouvoir tenter d'y remédier. Nous savons que nous ne faisons qu'un avec notre orteil et que nous ne pouvons pas nous dissocier de la douleur qu'il nous cause.

Comprenez-vous ? Si vous parvenez à sentir que les autres font partie d'un tout interrelié, vous saisirez peu à peu que leur bonheur est votre bonheur. Leur liberté est votre liberté. Il n'y a pas de séparation. On se raconte des histoires quand on croit qu'il en est autrement.

Avant tout contact et tout rapport avec des gens, ayez la ferme intention d'exercer une influence positive sur eux. Au lieu d'écouter seulement ce que vous voulez entendre, cessez de vous concentrer sur vous-même et prenez le temps d'écouter ce que l'autre vous dit. Prenez le temps d'écouter votre voix intérieure vous dire que cette personne tient réellement à communiquer avec vous.

Si vous réussissez à agir de la sorte, les gens se mettront à rechercher votre compagnie, à apprécier vos propos et à écouter attentivement ce que vous avez à dire. N'oubliez pas que vous devez personnifier le changement que vous aimeriez voir se produire dans le monde.

Les jugements verrouillent la porte des possibilités

Laissez toujours la porte de la cage ouverte
Pour que l'oiseau puisse revenir.
— PROVERBE CHINOIS

Vous pensez peut-être qu'à partir de maintenant toutes les personnes que vous rencontrerez seront gentilles, douces et évoluées. Désolé de ternir l'éclat du soleil, mais vous devrez continuer à traiter de temps en temps avec quelques imbéciles.

Il est facile de souhaiter enfer et damnation aux gens grossiers, égoïstes et centrés sur eux-mêmes qui projettent leur énergie négative sur le monde. Malheureusement, les jugements verrouillent la porte des possibilités.

Vous souvenez-vous du passé, du présent et du futur ? Vous souvenez-vous de l'idée de voir le monde dans sa nature temporelle ? Eh bien, si vous portez un jugement sur quelqu'un, vous confinez cette personne dans le passé. Vous l'empêchez de changer et de saisir ses possibilités futures. Vous la limitez à ce qu'elle est dans le moment au lieu de lui laisser la possibilité de devenir autre.

Si vous croyez que nous avons tous des possibilités valables et si vous avez une vision claire de l'avenir que nous pouvons bâtir ensemble, vous laisserez aux autres la possibilité de changer.

N'oubliez pas que le seul fait d'interagir avec vos semblables vous fait participer à leur être. Toute interaction nécessite un échange d'énergie, toute interaction peut être bonne ou mauvaise et toute interaction aura un effet sur vous et sur l'autre. La façon dont vous choisissez d'interagir est donc fondamentale pour le monde que nous pouvons créer ensemble.

L'intention et les croyances sont, ici encore, cruciales à l'atteinte du but. Vous devez semer les possibilités et prendre soin de les arroser.

Le véritable impact
de l'unité

Si vous ne croyez pas que nous sommes inter-connectés dans le cadre d'un tout, vous n'aurez aucune raison d'essayer de changer le monde. Vous ne croirez tout simplement pas que vos petits efforts pourraient avoir le moindre impact.

MAIS si vous adhérez à la notion d'intercon-nexion et d'unité, vous constaterez que même vos gestes les plus banals peuvent tout changer. Réfléchissez-y pendant un instant...

Si nous sommes véritablement interconnec-tés, vous pouvez avoir une influence sur le monde que nous créons ensemble simplement en pen-sant au monde, en ayant une intention positive et en faisant rayonner votre énergie tout autour.

Le pouvoir de l'unicité permet à quelques individus d'avoir une influence sur la qualité de vie de la population entière du monde.

Il n'est pas facile de lever les yeux au ciel
lorsque les autres ont les yeux rivés au sol.
Il n'est pas facile de prier aux pieds des anges
lorsque les autres vénèrent la gloire et la fortune.
Mais peut-être le plus difficile
de tout est de penser comme pensent les anges,
de parler comme parlent les anges et
d'agir comme agissent les anges.
— Greg Braden, *The Isaiah Effect*
(traduction libre)

Rassemblons toutes les pièces du puzzle

Comme nous arrivons à la fin de ce livre, rassemblons toutes les pièces du puzzle. Je crois que, pour pouvoir trouver le bonheur et vous épanouir, vous devez pouvoir trouver votre personnalité véritable. Pour cela, voici ce que vous devez faire :

— Faites preuve de sérieux et prenez un engagement ferme. Vous devez vous mettre la tête sur le billot et accepter de sacrifier qui vous êtes maintenant pour trouver qui vous êtes réellement.

— Puisez en vous-même et écoutez votre voix intérieure.

— Acceptez de vous amuser avec les possibilités les plus extravagantes et faites des exercices de méditation et de visualisation pour voir si le futur vous va.

— Chargez votre vision avec toute l'énergie de votre intention et croyez en son inévitabilité.

— Identifiez vos peurs et faites-y face avec le courage d'un guerrier spirituel.

— Reconnaissez l'existence de l'inertie paradigmatique et de ses effets.

— Ayez une stratégie, faites preuve de patience et de persévérance et saisissez votre centimètre cube de chance lorsqu'il se présente.

Une fois que vous serez bien installé sur la voie d'une vie authentique, non seulement les occasions extraordinaires seront nombreuses, mais les défis à relever le seront tout autant. Pour ne pas flancher, mais faire face à ces défis avec courage, vous devez vous rappeler avant tout que VOUS AVEZ CHOISI CETTE VOIE. Vous n'êtes plus une victime des circonstances. Vous êtes le créateur proactif de votre monde. Vous devez rester concentré et prendre vos responsabilités et, surtout, voici ce que vous devez faire :

— Faites preuve d'indulgence envers vous-même ; ne vous démolissez pas intentionnellement et cherchez à garder votre équilibre.

— Appropriez-vous votre vision et vos idéaux, assumez-en la responsabilité et soyez-en la source.

— Adoptez une attitude positive à toute épreuve, créez votre propre karma et ne vous laissez pas impressionner par les discours des autres.

— Une fois au bord du précipice de vos rêves, n'hésitez pas une seconde ! Vous devez garder les yeux grands ouverts, vivre dans le moment présent et passer à l'action.

— Le monde évolue de manière bien étrange. Ne vous rebellez pas contre lui, mais ACCEPTEZ-le.

— Gardez votre sang-froid en cas de crise et ne perdez pas votre concentration: arrêtez-vous, réfléchissez, puis agissez!

— Sachez ce qui vous tient à cœur et acceptez de payer le prix nécessaire pour rester fidèle à vos valeurs.

— Rappelez-vous l'importance de la gratitude et les problèmes liés à la liberté.

La dernière partie du cheminement que vous devez faire consiste à transcender le soi pour devenir un avec le tout. C'est là le plus grand défi, le lieu le plus gratifiant que vous puissiez atteindre, car vous ne pouvez l'atteindre que si vous êtes véritablement en paix avec vous-même. C'est à ce stade que des choses miraculeuses commencent à se passer: vous êtes enfin libéré des attaches du soi et de la constante préoccupation du «je». Une fois arrivé à ce stade de votre cheminement, n'oubliez surtout pas ceci:

— Ne soyez pas un imbécile rationnel.

— Cultivez des rapports avec les autres afin de terminer le puzzle de votre vie tout en aidant les autres à terminer le leur.

— Accordez plus d'importance à la vérité qu'à votre propre confort.

— Ayez foi en la nature humaine et montrez-le.

— Évitez de juger et laissez la porte ouverte.

— Incarnez le changement que vous voulez voir dans le monde!

C'était là un résumé de ce livre, mais je ne peux vous laisser sans ajouter que toute cette théorie ne vous apportera rien du tout si vous n'en faites qu'un échafaudage intellectuel. Il ne suffit pas de comprendre toutes ces choses et de pouvoir en débattre avec les autres. La vie passe très vite et nous sommes constamment confrontés à des situations où nous devons nous en remettre à nos réactions instinctives. C'est à ces moments-là que nous voyons qui nous sommes, c'est-à-dire quand nous n'avons pas le temps de «prendre un instant» pour réfléchir à une réaction appropriée. Toutes nos facultés intellectuelles ne nous servent à rien dans ces cas-là.

Nous devons donc nous jeter à l'eau et perfectionner nos compétences, en acceptant toujours le résultat et en cherchant toujours à faire de notre mieux pour suivre librement le courant.

Savoir et ne pas agir
La mer de la Tranquillité reste encore à découvrir.
— YUKIO MISHIMA (traduction libre)

La signification
de la vie

Je sais que j'ai dit qu'il n'y avait pas de réponse
facile et je crois que nous avons tous besoin d'agir
à notre propre façon pour donner un sens à la vie.
Il y a quelques années, j'ai assisté à une fête où
tous les invités devaient exprimer par écrit leur
conception de la signification de la vie. Voici ce
que j'avais écrit:

> La signification de la vie est un défi spiri-
> tuel très profond que nous nous imposons,
> paradoxalement, avant de choisir d'entrer dans
> ce monde physique contre nature. Une fois ici,
> aveuglés par nos nombreuses illusions, nous
> devons faire face aux tentations qui vont de
> pair avec la manifestation physique de notre
> être, sans même connaître notre véritable
> nature. C'est là la signification de la vie et le
> test de la vie: voir si, dans notre aveuglement,
> nous pouvons faire appel aux connaissances
> enfouies dans notre âme et relever le défi, afin
> qu'une fois revenus à notre point de départ
> nous puissions nous regarder dans un miroir et
> nous réjouir!

En repensant à ce que j'ai écrit, je m'aperçois qu'il y a une chose que j'aimerais ajouter. On parle beaucoup de «succès» dans notre société occidentale linéaire axée sur les résultats. Or, compte tenu de la façon dont notre société matérialiste le définit, ce mot peut vraiment vous perturber l'esprit. Combien de fois vous a-t-on demandé: «As-tu réussi?» alors qu'on ne cherchait en réalité qu'à savoir combien d'argent vous faisiez. Les gens veulent juger les autres d'après un étalon de mesure pour voir comment ils se comparent. Or, l'étalon le plus commode et le plus déterminant est l'argent. Alors, que diriez-vous si nous changions d'étalon?

> *Laisser le monde un peu meilleur*
> *Grâce à un enfant en santé, un coin de potager*
> *Ou une situation rachetée*
> *Savoir qu'une seule vie a été plus facile*
> *Parce qu'on a vécu,*
> *C'est avoir réussi.*
> — RALPH WALDO EMERSON (TRADUCTION LIBRE)

J'espère sincèrement que vous trouverez votre véritable personnalité, que vous vivrez une vie remplie d'amour et de joie et que vous participerez à la création d'un monde meilleur. Le moment est maintenant venu de fermer ce livre et d'AGIR! Je vous souhaite un heureux cheminement et je vous remercie d'avoir participé au mien.

Table des matières

Achevé d'imprimer au Canada
sur papier Quebecor Enviro 100% recyclé
sur les presses de Quebecor World Saint-Romuald